Les fantasmes:

la clé d'une vie
sexuelle épanouie

Yves Boudreau

C.P. 325, Succursale Rosemont
Montréal, Qc
H1X 3B8
Tél.: (514) 522-2244
Fax: (514) 522-6301

Éditeur: Pierre Nadeau
Photo: Richard Fitzgerald, Ponopresse International
Mise en pages et couverture: Iris Montréal Ltée

Distribution:
Agence de distribution populaire inc.
Filiale de Sogides Ltée
955, rue Amherst **adp**
Montréal, Qc
H2L 3K4
Tél.: (514) 523-1182

Dépôt légal: deuxième trimestre 1994
Bibliothèque nationale du Québec
Bibliothèque nationale de Canada

Table des matières

Préface

Depuis 1972, j'ai eu la chance de travailler dans le domaine de la sexologie. Mon expérience m'a permis de rencontrer une foule de gens, de recevoir des milliers de lettres, de parler de sexualité avec un nombre considérable de femmes. J'ai remarqué que, très souvent, dès que vous mentionnez que vous êtes sexologue, les gens se livrent facilement, veulent parler de sexualité. J'ai aussi remarqué que les fantasmes étaient un sujet particulièrement apprécié. Quand une personne commençait sa conversation en disant: «Moi, j'aimerais faire l'amour avec...» je savais que je plongeais directement dans le fantasme de cette personne. J'ai donc décidé, un jour, de faire un petit inventaire des fantasmes féminins.

Il ne s'agit pas, loin de là, d'une enquête scientifique, mais bien d'un inventaire des fantasmes que les femmes ont bien voulu me raconter de vive voix ou par lettre. Il y a aussi, dans cet inventaire, des fantasmes que j'ai pu lire dans plusieurs publications. Mon travail a donc consisté à faire un tri des fantasmes et de les classer en chapitres.

J'ai dû, à certaines occasions, me fier uniquement à ma mémoire et écrire moi-même les fantasmes racontés verbalement. J'ai tenté le plus possible de respecter la philosophie du fantasme. Bonne lecture.

Yves Boudreau

Introduction

Une des facultés les plus importantes de l'être humain, c'est son imagination. Notre capacité de nous représenter des images et de les associer à des sensations est une richesse qui nous permet de nous élever au-dessus des autres espèces animales. Notre imagination nous sert de mille et une façons. Elle nous permet d'enjoliver les moments ennuyeux de notre existence en visualisant des situations agréables et génératrices de plaisir. Grâce à notre «folle du logis», nous pouvons voyager dans le temps et dans l'espace, réaliser les plus formidables exploits, incarner des personnages légendaires, visiter le ciel et l'enfer. À l'opposé, nous pouvons inventer des situations désagréables, nous soumettre par la pensée aux pires châtiments, nous infliger les plus abominables tortures, de façon à nous faire mieux apprécier le confort de notre vie réelle.

Nous appelons «fantasmes» ces productions de notre imagination qui nous permettent de nous évader dans un autre monde, pour le meilleur ou pour le pire. Les fantasmes sont aussi variés que les êtres humains qui les génèrent. Nous les utilisons pour toutes sortes de raisons, aussi prennent-ils une infinité de formes. Dans le cadre de ce livre, nous allons nous pencher plus particulièrement sur les fantasmes qui touchent de près ou de loin une autre fonction primordiale de l'être humain: la sexualité. D'où leur désignation de «fantasmes sexuels».

On ne peut nier la fascination qu'exercent les fantasmes sexuels sur l'esprit des gens. On en a eu une belle preuve en janvier 1994, lorsqu'un chauffeur de taxi a fait les manchettes après avoir été «agressé sexuellement» par un couple qui était monté dans sa voiture. La cliente avait décidé de payer la course «en nature». Et comme le chauffeur refusait, le mari de la jeune femme a brandi une arme et a forcé le pauvre homme à se laisser faire une fellation (une «pipe», comme on dit en bon français). On a vu, par le battage médiatique entourant cette affaire, que de telles aventures ne laissent pas grand monde indifférent. Les réactions entendues au cours d'émissions de tribune radiophonique montraient de façon éloquente que plus d'une auditrice rêvait secrètement d'accomplir pareil exploit.

Le but de ce livre n'est pas de faire une analyse scientifique du phénomène des fantasmes sexuels. Il s'agit plutôt d'une démonstration, dans les termes les plus simples possibles, du rôle et de l'utilité de ces fantasmes. Autrement dit, un exercice de vulgarisation et de valorisation de ces instruments essentiels à l'épanouissement sexuel. Et la meilleure façon de rendre cette démonstration vivante et intéressante, c'est de l'illustrer avec des exemples.

Tous les fantasmes sexuels décrits dans ce livre m'ont été livrés par des femmes. Je n'ai rien changé à leur témoignage, si ce n'est leur prénom par souci de confidentialité. Certains fantasmes peuvent sembler plutôt banals, d'autres totalement extravagants. Ce qui compte, au fond, ce n'est pas le niveau de créativité, mais l'efficacité à atteindre le plaisir et la satisfaction, objectif fondamental de toute activité sexuelle.

Ce livre s'adresse à toutes les femmes. Celles qui, ayant reçu une éducation chrétienne, entretiennent des tabous à l'égard des fantasmes sexuels découvriront avec soulagement qu'il est parfaitement sain et normal d'en avoir. Elles comprendront que le fait de penser à quelque chose ne signifie nullement qu'on ait envie ou besoin de le faire «pour vrai». Une fois bien acquise cette distinction fondamentale entre la réalité et la fiction, elles pourront enfin s'abandonner aux délices — trop longtemps repoussés — de leur imagination sexuelle.

Quant à celles qui utilisent déjà les fantasmes sexuels, elles pourront pousser plus loin leur démarche en s'alimentant à l'imaginaire d'autres femmes qui, comme elles, refusent la monotonie et la médiocrité d'une vie sexuelle sans fantaisie et sans passion. Elles découvriront des avenues inexplorées, jalonnées d'aventures audacieuses et de rencontres inattendues.

Celles enfin qui appartiennent à la catégorie des «fantasmeuses» à l'imagination débridée, dont les rêves sexuels sont peuplés de monstres inquiétants et parsemés de péripéties scabreuses, elles obtiendront à la lecture de ce livre la confirmation qu'il n'y a rien à redouter de telles fabulations. Qu'au contraire, les fantasmes sexuels les plus choquants sont souvent le gage d'une vie sexuelle épanouie, qu'ils peuvent également servir de remparts contre les déséquilibres émotifs et affectifs.

Dans ce voyage au pays de l'imaginaire, nous cheminerons du plus commun au plus inusité, commençant avec les fantasmes sexuels utilisés par le plus grand nombre de femmes et explorant ensuite les cas plus particuliers.

Chapitre 1

Besoin
de tendresse

Selon une étude réalisée par le sexologue québécois Claude Crépault, 96 % des hommes et 91 % des femmes ont des fantasmes érotiques éveillés en dehors de leurs activités sexuelles. Cette étude révèle aussi que 85 % des hommes et des femmes évoquent, au moins à l'occasion, des fantasmes durant l'activité sexuelle. Il y a même une personne sur quatre (25 %) qui ne peuvent s'en passer durant l'acte sexuel.

Le fantasme le plus fréquent pour une femme (70 % des cas), c'est d'avoir des rapports sexuels avec une personne aimée. Mais attention, il ne s'agit pas nécessairement du conjoint ou du partenaire sexuel du moment. Souvent, cette personne est un ami ou un collègue de travail. Si la femme est célibataire, les fantasmes qu'elle entretient au sujet d'un courtisan peuvent lui servir à évaluer différents comportements qu'elle pourrait adopter avec lui et influencer sa décision de succomber ou non à ses avances. Plus un soupirant stimule son imagination, plus elle cherchera à recréer les situations qui lui ont procuré cette stimulation. En d'autres mots, les fantasmes peuvent servir de répétition en vue d'une rencontre ou d'un rendez-vous amoureux. C'est le cas de Sylvie C.

(Sylvie C.:) «...quand je commence à fréquenter un nouveau copain, j'essaye d'imaginer comment ça va se passer, la première fois que nous allons coucher ensemble. J'invente plusieurs mises en scène différentes: nous faisons ça la nuit, le soir, le matin... chez lui, chez moi, dans la nature, à l'hô-tel... tantôt c'est lui qui fait les premiers pas, tantôt c'est moi... parfois je le provoque, parfois je me laisse désirer... il me fait des trucs, je lui en fais... Certains de ces scénarios m'excitent beaucoup, d'autres moins. Mais, en général, mon instinct ne me trompe pas. Je peux savoir par les fantasmes que m'inspire un homme si ça va cliquer ou pas...»

Une autre de mes correspondantes, Josée F., procède un peu de la même façon, mais en se basant sur le type de voiture de ses soupirants.

(Josée F.:) «...quand un garçon commence à me faire la cour, j'essaie de savoir quelle marque de voiture il possède. C'est toujours assez facile, car c'est un sujet dont les garçons aiment bien discuter. S'il possède une voiture sport, genre Mustang ou Camaro, j'imagine qu'il me fait l'amour vigou-reusement, de façon très physique, mais pas très longtemps. S'il possède un modèle européen, c'est un amant raffiné, qui me fait l'amour dans des endroits inattendus. S'il possède une voiture japonaise, c'est un amant efficace, qui s'investit juste ce qu'il faut dans une relation sexuelle, qui se soucie de mon plaisir, mais ne défonce jamais la baraque. S'il possède une vieille bagnole, c'est un amant vieux jeu, plutôt conservateur, qui aime faire l'amour dans le noir et n'est pas trop porté sur les fantaisies. S'il possède une voiture luxueuse, genre Porsche ou Jaguar, c'est un amant orgueilleux, qui aime se regarder baiser, qui va chercher à m'impressionner plus qu'à me faire jouir. Personnellement, ma préférence va aux voitures de l'année, surtout s'il s'agit d'un nouveau modèle. J'aime penser que son propriétaire est un gars moderne, à l'esprit ouvert et prêt à essayer des trucs inusités. Je dois cependant avouer que mon système, bien qu'amusant, n'est pas infaillible: les petites quéquettes ne sont pas toutes dans les grosses Corvettes...»

Les fantasmes impliquant des personnes faisant partie de notre entourage immédiat servent souvent de substitut à un comportement risqué ou inacceptable. Prenons le cas de Mireille S., par exemple.

(Mireille S.:) «...je travaille comme secrétaire dans une importante firme légale. Comme je suis célibataire, je suis très en demande parmi les avocats du bureau. Je reçois souvent des invitations pour sortir et il m'arrive d'accepter. Mais je suis une fille sérieuse et je tiens à préserver ma réputation. Dans ce milieu, les nouvelles voyagent vite et ce n'est pas long qu'on vous accolle une étiquette de «fille facile». Aussi, je garde mes distances quand je sors avec ces collègues du bureau, qui sont aussi mes supérieurs, il ne faut pas l'oublier. Mais ce n'est pas toujours facile de dire non. Il y en a un en particulier, M^c P., qui me fait beaucoup d'effet. Il est beau, galant, fin causeur, il sait comment s'y prendre avec les femmes. Et c'est bien ça le problème: c'est le plus grand coureur de jupons de la planète. Et en plus, il a une grande gueule. Tout ce qui l'intéresse, c'est la baise. Je sais que le jour où je vais coucher avec lui, il va cesser de s'intéresser à moi. Sans compter que, dès le lendemain, tout le monde au bureau va le savoir. Aussi, malgré mon envie folle de faire l'amour avec lui, je résiste à ses avances. Et plus je résiste, plus il insiste. D'une certaine façon, ça flatte mon ego et ça m'excite. Lorsqu'il me raccompagne chez moi, qu'il me donne un dernier baiser sur le seuil de ma porte, j'en viens toute mouillée. Aussitôt la porte refermée, je vais m'étendre dans mon lit et j'enlève mes vêtements. Pendant que je me masturbe, j'imagine que je suis une riche héritière et que j'ai engagé M^c P. pour régler les détails de la succession. Il est évidemment très dévoué, comme le serait n'importe quel avocat avec une cliente jeune, belle... et multi-millionnaire. Mais il n'ose me faire la cour, de peur de me perdre comme cliente. De mon côté, je fais mine d'avoir le béguin pour lui. Un jour, il faut aller à New York pour régler un litige concernant une compagnie qui m'appartient. Nous descendons au Waldorf-Astoria, où j'ai réservé une suite présidentielle, avec foyer et tout. Je l'invite dans ma suite pour réviser le dossier. Je porte un décolleté affriolant et je passe mon temps à me pencher vers lui. Il a beaucoup de difficulté à se concentrer. Après un dîner en tête à tête, je passe à l'attaque. Je lui dis que j'en ai marre d'être veuve, que je n'ai pas fait l'amour depuis plusieurs mois, que je me meurs de m'abandonner dans les bras d'un homme. C'est plus qu'il n'en peut supporter. Il s'approche pour m'embrasser, mais je tourne la tête. Je lui dis qu'il ne faut pas mêler les affaires et le plaisir, que l'éthique lui interdit de faire l'amour avec une cliente. Il me répond qu'il n'a que faire de l'éthique, qu'il est follement amoureux de moi et qu'il est même prêt à renoncer à ses honoraires s'il le faut. Ce n'est pas assez pour me convaincre. Je connais sa réputation de tombeur, je n'ai pas l'intention de me faire avoir comme la première venue. Il réplique qu'il est prêt à tout sacrifier pour moi, qu'il me fera l'amour comme il ne l'a jamais fait à aucune autre femme et qu'il me restera fidèle pour l'éternité. Alors, je le mets au défi. S'il arrive à me satisfaire sexuellement, je l'épouse et lui fais partager ma fortune.

Sinon, il est congédié sur-le-champ. Je m'étends devant le foyer, sur l'épaisse moquette de la suite, et il vient s'allonger à mes côtés. Avec ses mains et sa langue, il m'amène vers des paradis inexplorés, me fait découvrir des édens insoupçonnés. Après m'avoir caressée pendant des heures, il me fait l'amour tout en douceur, sans jamais se presser, avec pour seul souci de multiplier mes orgasmes. C'est seulement lorsque je suis pleinement rassasiée que je lui donne la permission de jouir à son tour...»

L'exemple le plus courant de comportement qui serait indésirable dans la vie réelle est celui de la femme mariée qui éprouve une attirance sexuelle pour une personne de son entourage, mais qui craint de mettre son union en péril si elle se laisse aller à son désir. Le fantasme a ici une valeur de remplacement inestimable et il est souvent utilisé pendant que la femme a des rapports sexuels avec son conjoint. C'est le cas de Claudine R.

(Claudine R.:) «...je suis mariée depuis 18 ans et il faut bien dire les choses telles qu'elles sont: c'est tranquille côté sexe. C'est à peine si mon mari et moi faisons l'amour une fois par mois et même là, ce n'est pas «les gros chars». Mon mari fait l'amour machinalement, il a fini au bout de cinq minutes et il s'endort aussitôt après. Tout ce qu'il réussit à faire, c'est de me donner le goût. Alors, dès qu'il s'endort, je me donne mon propre plaisir. Je n'ai plus besoin de lui, ni en personne, ni en pensée. Je me vois plutôt avec André, un associé de mon mari qui vient souvent dîner à la maison avec son épouse. C'est un type très bien et je sais, à la façon qu'il a de me regarder, qu'il me trouve de son goût. J'imagine que je me rends au bureau de mon mari, mais il est absent. Il avait un rendez-vous avec un client, ou quelque chose du genre. Je décide de l'attendre dans son bureau. Au bout de quelques minutes, André passe dans le corridor et m'aperçoit. Il entre dans la pièce et referme la porte derrière lui. Avant que j'aie eu le temps de dire un mot, il me renverse sur la table de travail de mon mari et m'embrasse furieusement. C'est fou ce que cette idée de faire l'amour dans le bureau de mon mari, avec son associé, peut m'exciter...»

Comme on peut le voir dans le cas de Claudine R., les fantasmes sexuels sont de précieux alliés pour les femmes qui ne trouvent pas leur compte, sexuellement parlant, à l'intérieur de leur relation de couple. Plusieurs de celles-là sont portées à se tourner vers un autre genre de fantasme érotique avec une personne connue. Cette fois, il ne s'agit pas d'une personne de leur entourage, mais plutôt d'une personne connue dans le sens de «célèbre», du genre acteur de cinéma ou athlète professionnel. Voici les témoignages de Ginette B. et Carmen M.

(Ginette B.:) «...moi, j'ai un faible pour les joueurs de football. Je les trouve vraiment sexy dans leurs culottes serrées, qui leur font des fesses protubérantes, et dans leurs larges épaulettes. Voici mon scénario préféré: je suis une meneuse de claques pour une équipe professionnelle. Nous faisons notre petit numéro sur la ligne de touche, le dos tourné au jeu. Sur le terrain, un ailier attrape une passe et tente de s'échapper le long de la ligne de touche. Mais au moment où il arrive à notre hauteur, il est rejoint par les défenseurs de l'équipe adverse. Il y a une bousculade et l'ailier est projeté parmi les meneuses de claques. Il entre en collision avec moi. Le choc est brutal et je me retrouve étendue sur le sol, inconsciente. Les soigneurs s'amènent, ils veulent m'amener sur une civière. Mais le joueur s'interpose. Il dit que c'est lui le responsable de mes blessures, c'est à lui de réparer le tort qu'il m'a fait. Il me prend dans ses bras et me transporte vers le vestiaire, aux applaudissements de la foule. Moi, je suis encore dans la brume. Arrivés dans le vestiaire, le joueur me dépose sur une table et commence à examiner mes blessures. J'ai reçu son casque en pleine face, un filet de sang coule de mon nez enflé, j'ai une vilaine coupure sur la lèvre inférieure. Lorsque je reprends mes sens, il est penché au-dessus de moi. Son visage est couvert de sueur, son uniforme, maculé de boue. Enivrée par la sensualité animale qui se dégage de toute sa personne, étourdie par l'odeur de transpiration qui empeste la pièce, je m'agrippe à son uniforme et lui plaque un violent baiser sur la bouche. Le mélange du sang et de la sueur semble éveiller la bête en lui. Il m'arrache ma minuscule jupette de meneuse de claques, baisse son pantalon et s'introduit en moi, sans prendre le temps de retirer le reste de son uniforme. Il me soulève comme une vulgaire poupée de chiffon, son pieu bien enfoncé entre mes reins, et me fait l'amour debout, frénétiquement, en me plaquant contre un casier de métal...»

(Carmen M.): «...je travaille comme serveuse dans un restaurant du centre-ville qui est fréquenté par les vedettes internationales de passage à Montréal. Chaque fois que j'ai la chance de servir un chanteur ou un acteur célèbre, ça me fait tourner la tête et j'en ai pour des jours à rêver tout éveillée. Celui qui m'a fait le plus d'effet, jusqu'à présent, c'est Paul Newman. Quels yeux il a! La fois où il est venu au restaurant, je n'en ai pas dormi de la nuit. Je me suis tellement masturbée que j'en avais les doigts gercés. J'en faisais la vedette de mon propre film. Ça commence au restaurant. Il dîne avec deux autres types, son agent et son publiciste, et il a l'air de s'ennuyer ferme. Chaque fois que je m'approche de leur table, il me regarde avec le sourire et me fait un brin de conversation. Vers la fin du repas, il me raconte qu'il doit repartir le lendemain et qu'il n'a pas encore eu l'occasion de visiter le Vieux-Montréal. Il aimerait bien rencontrer quelqu'un qui pourrait lui servir de guide. Je lui offre de lui rendre ce service et il accepte avec joie. Comme mon quart de travail est presque terminé, il commande un autre digestif pendant que je vais enlever mon uniforme. Puis il prend congé de ses hôtes et nous grimpons dans une calèche pour une randonnée dans les rues du Vieux-Montréal. C'est une belle soirée d'automne et nous ne sommes pas habillés très chaudement. Pour nous réchauffer, nous nous collons l'un sur l'autre et nous nous emmitouflons dans la peau de fourrure que nous offre le cocher. Mon idole aux yeux bleus ne montre pas beaucoup d'intérêt pour les attraits touristiques du Vieux-Montréal. Je sens sa main qui passe sous ma jupe et qui monte le long de ma cuisse. Je ne veux pas attirer l'attention du cocher, aussi je continue à bavarder tranquillement. Mais je n'ai plus la tête à ce que je dis. Déjà, ma main fouille dans sa braguette, pour y découvrir une érection du tonnerre. Au même moment, nos bouches se rencontrent, nos lèvres s'entrechoquent, nos langues s'enlacent. Je disparais ensuite sous la peau de fourrure et son pénis en fait de même dans ma bouche. Pendant de longues minutes d'extase, mes lèvres montent et descendent le long de son membre viril. Et juste comme nous passons devant la Place d'Armes, son canon laisse gicler une décharge de sperme chaud au fond de ma gorge. Chaque fois que j'y pense, je me dis qu'une telle performance me vaudrait sûrement un Oscar dans la catégorie «meilleure actrice dans un rôle de soutien»...»

Une caractéristique dominante dans les fantasmes érotiques des femmes, c'est le sentimentalisme qu'on accolle à la sexualité. Dans les récits que j'ai lus, les mots «affection» et «tendresse» reviennent fréquemment. Il y a beaucoup de place pour les caresses, qu'elles prodiguent avec générosité et qu'elles reçoivent avec volupté. On se colle, on se bécotte, on se minouche inlassablement. Et ce, même lorsque le partenaire imaginé est un pur étranger ou un personnage fictif. C'est tellement plus facile d'idéaliser un homme inventé de toutes pièces, comme celui qui habite les rêves de Lucie T., ou de rêver à des princes charmants, comme le fait Manon L.

(Lucie T.:) «...moi, c'est bien simple, les images de plages au soleil, ça me rend malade. Peut-être que c'est parce que je n'ai jamais eu la chance d'y aller... Il me semble que ça doit donc être agréable de faire l'amour sur le sable chaud. Parfois, il m'arrive de penser que je suis là-bas, à Cuba ou en République. C'est la pleine lune et je décide de prendre un bain de minuit. Ma copine ne veut pas m'accompagner, j'y vais donc seule. La nuit est douce, la mer est chaude, la plage est déserte... du moins, c'est ce que je crois. J'enlève mon maillot et je me laisse glisser dans les flots. Lorsque je

23

retourne vers la plage, je m'aperçois que je ne suis pas seule. Sur la plage, je vois un homme qui m'épie. Je crois reconnaître un employé de l'hôtel, il m'a probablement suivie sans faire de bruit. C'est un Noir, beau et grand, avec un superbe corps d'athlète. Il est torse nu, ce qui me permet d'admirer sa remarquable musculature. Dans ses yeux, je vois briller le désir. Il y a une grosse bosse dans son pantalon. Surprise par cette apparition, je m'arrête à quelques pieds du rivage. Il marche vers moi, sans dire un mot, il me prend dans ses bras et me soulève. Il m'amène jusqu'à la plage et me dépose doucement sur le sable humide. Il s'allonge à mes côtés. Puis il me caresse longuement, pendant que les vagues viennent nous tremper la peau et nous saler les lèvres. Ça dure comme ça pendant des heures, jusqu'à ce que je n'en puisse plus et que l'implore de me faire l'amour. Alors, il retire son pantalon et me prend tendrement, passionnément, jusqu'au petit matin...»

(Manon L.:) «...au fond, je pense que je suis restée une petite fille dans ma tête. Je rêve encore au prince charmant, les héros de contes de fées habitent toujours mes rêves. Quand je fais l'amour avec un homme, il m'arrive souvent de m'évader dans un des contes qui faisaient mes délices quand j'étais enfant. Évidemment, je change un peu les détails, disons, plus intimes. Par exemple, il faut plus qu'un baiser pour réveiller la Belle au bois dormant; dans Cendrillon, le soulier est remplacé par un condom; les protecteurs de Blanche-Neige ne sont pas des nains; et le petit chaperon rouge prend un malin plaisir à se faire manger par le loup (sans parler du chasseur, avec son grand fusil)...»

Ce genre de fantasmes, et tous ceux dont il a été question jusqu'ici, sont parmi les plus répandus. Ils ne transgressent aucun interdit majeur, en termes de pratique sexuelle. Aussi sont-ils peu sujets à entraîner un sentiment de culpabilité. Si le problème se pose, ce sera le plus souvent chez les femmes mariées qui considèrent l'adultère comme un vice inacceptable, voire un péché mortel. L'éducation chrétienne nous a jadis enseigné que le simple fait de penser à quelque chose équivaut à le faire. Heureusement, cette mentalité a fait son temps. Les études menées par les sexologues indiquent que la majorité des gens ne manifestent pas le désir de transposer leurs fantasmes dans la réalité. Surtout lorsque ces fantasmes, comme ceux que nous examinerons dans les prochains chapitres, comportent des gestes et des attitudes qui sont socialement plus difficile à accepter.

Chapitre 2

Soif de séduction

La séduction joue un rôle important dans les fantasmes sexuels féminins. C'est ce que les sexologues appellent la composante narcissique. C'est souvent le propre des femmes qui n'ont pas une très haute estime d'elles-mêmes, sur le plan physique, d'imaginer des scènes où elles exercent sur les hommes un magnétisme sexuel irrésistible. Cette soif de séduction est parfois si grande qu'un seul homme n'arrive pas à l'étancher. Plusieurs des femmes qui m'ont écrit, comme Isabelle B., m'ont fait part de fantasmes où elles avaient des rapports sexuels avec plus d'un partenaire.

(Isabelle B.:) «...je suis mariée depuis plusieurs années et je n'ai jamais trompé mon mari. Notre vie sexuelle a déjà été plus active, ça c'est certain. Mais comme je l'aime encore, je préfère utiliser mon imagination que d'aller voir ailleurs. Parfois, lorsque nous faisons l'amour, il m'arrive de penser que j'accompagne mon mari chez ses clients. Il est représentant pour une compagnie qui fabrique des pièces d'autos et il se promène de garage en garage pour vendre sa marchandise. Histoire de faire mousser les ventes, donc, je l'accompagne. Mais il ne dit pas que je suis sa femme. Il me présente plutôt comme une nouvelle vendeuse en période d'apprentissage. Évidemment, j'ai des techniques de vente assez inédites merci. À chaque garage où nous nous arrêtons, je baise avec le propriétaire. Et les employés qui sont là en profitent aussi. Je les prends chacun leur tour sur le truc qui sert à soulever les voitures, pendant que les autres observent. Généralement, mon mari nous regarde faire, mais il lui arrive de participer à ces ébats. Plus ces garagistes sont sales, plus leurs mains sont graisseuses, plus ça m'excite. Je fais exprès de porter des robes élégantes, des tailleurs chic, pour le plaisir de les faire souiller et mettre en lambeaux. J'ai parlé de ce fantasme à mon mari et il trouve ça très amusant. Quand je pense à ces choses pendant qu'il me fait l'amour, j'ai des orgasmes à répétition et mon mari a l'impression qu'il est l'amant du siècle. Tout le monde est content...»

Une autre, Linda C., m'a raconté un fantasme similaire. Elle est plus jeune qu'Isabelle, toutefois, et son fantasme est adapté à son âge.

(Linda C.:) «...je dois avouer que j'ai un faible pour les musiciens. Tous les musiciens, même ceux qui sont laids comme des poux. Guitaristes, claviéristes, batteurs, chanteurs, je n'ai pas de préférence. Je suis le prototype de la groupie. D'ailleurs, je ne vous cache pas que j'ai déjà eu des aventures avec des musiciens. Je me tiens dans un bar où il y a des groupes invités et je m'arrange toujours pour me faire remarquer. Il faut dire que la nature m'a bien pourvue au niveau *body*. Comme je l'ai dit, j'ai déjà séduit quelques musiciens, mais c'était toujours des flirts individuels. Mon fantasme, ce serait de m'envoyer un orchestre au complet. Mais ce n'est pas tout. Ce qui me brancherait vraiment, ce serait de faire ça sur la scène, devant tout le monde, pendant qu'ils jouent. En résumé, ça se passe comme suit: je suis avec une copine et nous nous tenons devant la scène. Je porte un costume très sexy, qui révèle toutes mes formes et qui s'ouvre à l'avant avec une fermeture-éclair. Je me déhanche au son de la musique et le chanteur ne tarde pas à me remarquer. Il me fait signe de venir le rejoindre sur la scène. Le groupe enchaîne avec un blues très langoureux et j'y vais d'un strip-tease. Le public est survolté, les applaudissements fusent de partout. Une fois mon strip terminé, je m'approche du chanteur et je lui enlève ses vêtements. Pendant que le guitariste y va d'un solo, le chanteur me renverse sur la scène et me fait l'amour. Ensuite, c'est le tour du bassiste. Je suis déchaînée. Pendant que le guitariste me prend par derrière, je fais une pipe au claviériste. Je termine avec le batteur, assise par-dessus lui, pendant qu'il continue à battre la cadence. J'accélère le rythme, les musiciens font de même, jusqu'au *climax* final. Au milieu d'un solo infernal, le batteur et moi atteignons un orgasme hallucinant et nous renversons tous ses tambours sur notre passage...»

Nous avons parlé, dans le premier chapitre, des athlètes professionnels. Pour des raisons faciles à comprendre, ces hommes qui prennent un soin jaloux de leur corps reviennent souvent dans les fantasmes des femmes. Ils sont une source intarissable de stimulation sexuelle, comme l'explique Julie S.

(Julie S.:) «...quand je vois des compétitions sportives à la télé, ça me donne toutes sortes d'idées farfelues. Je crois que j'ai une fixation sur les athlètes. Peu importe le sport, j'oriente toujours ça vers le sexe. Par exemple, si je vois un reportage sur les Jeux Olympiques, je m'invente de nouvelles disciplines. Ma préférée, c'est l'éjaculation en longueur. Les concurrents prennent place sur la ligne de départ et je vais de l'un à l'autre en les masturbant jusqu'à ce qu'ils éjaculent. Celui qui projette son sperme le plus loin est le gagnant. Il y a aussi le marathon de baise. Les règles sont assez simples: le champion est celui qui baise le plus longtemps sans éjaculer. Comme dans toutes les épreuves, c'est moi qui agis comme juge. Je raffole aussi des descentes de luges. Je me verrais bien dans une descente à deux, bien installée au fond de l'habitacle dans la position du missionnaire, dévalant la piste à une vitesse vertigineuse. Même pas besoin de bouger pour avoir des vibrations. En général, je préfère les sports où on peut admirer les muscles des athlètes, comme la natation ou la boxe. J'ai aussi un faible pour les joueurs de football, même si je ne comprends rien à ce jeu. Quand mon mari regarde un match à la télé, je m'imagine que je suis sur le terrain, flambant nue, et que c'est moi qu'ils pourchassent au lieu du ballon. Lorsqu'un des joueurs m'attrape, tous les autres arrivent et forment une immense pile humaine au-dessus moi. Ils ne se relèvent qu'une fois que je les ai tous fait jouir...»

Selon les enquêtes menées par des sexologues, près d'une femme sur cinq (18 %) ressent une certaine stimulation sexuelle à l'idée d'avoir des relations sexuelles avec plusieurs hommes. De tels fantasmes comportent une dimension exhibitionniste, puisqu'il y a toujours des spectateurs qui observent en attendant leur tour. Être admirée et convoitée par plusieurs hommes à la fois, voilà qui est très valorisant pour l'ego de celle qui crée ces mises en scène. Il y a aussi toute la dynamique du pouvoir de séduction, qui permet à une femme de renverser des situations à son avantage. Cela se manifeste de façon plus évidente dans les fantasmes où les partenaires sexuels sont des hommes en situation d'autorité. Le témoignage de Louise J. les résume assez bien.

(Louise J.:) «...celui qui me revient le plus souvent, c'est avec des policiers. Je roule sur une autoroute déserte, en pleine nuit, bien plus vite que la vitesse permise. Soudain, je vois des gyrophares dans mon rétroviseur: c'est une auto-patrouille. Plutôt que de ralentir, j'appuie sur le champignon, histoire d'aggraver mon cas. Je roule ainsi pendant plusieurs kilomètres, les policiers à mes trousses. Finalement, ils me rattrapent et je me range sur l'accotement. Pendant qu'un policier s'approche de ma voiture, je remonte ma jupe sur mes cuisses. Le policier me fait signe de baisser ma fenêtre, il se penche au-dessus de moi et reste un moment immobile à me contempler. J'en profite pour passer à l'action. Je lui dis que je suis désolée d'avoir roulé trop vite et que je suis prête à faire n'importe quoi pour éviter d'avoir une contravention. Pas besoin de lui faire un dessin. Il me prie de le suivre à son véhicule. Je monte avec lui à l'arrière et je commence à le sucer, pendant que son collègue nous amène sur une route secondaire encore plus tranquille. Il va se garer au bout d'un chemin de terre, en pleine forêt, à proximité d'une cabane abandonnée. Je me laisse entraîner dans cette cabane et je me soumets à tous leurs caprices. Je leur dis que je ne veux pas repartir tant qu'ils ne m'auront pas rempli tous les orifices de leur sperme. Lorsqu'ils sont bien rassasiés, ils me ramènent à ma voiture. Je repars sans avoir reçu de contravention. J'utilise parfois d'autres variantes de ce fantasme. L'une d'elles se passe dans un grand magasin. Je me fait surprendre à tenter de piquer de la marchandise. Un agent de sécurité m'amène dans un petit local et le gérant vient le rejoindre. Je les implore de ne pas me livrer à la police, je ferai tout ce qu'ils me demanderont, etc. Au fond, c'est toujours un peu le même scénario. Mais je dois avouer que ça m'excite plus avec des policiers. Peut-être à cause de l'uniforme ou du fait qu'ils portent une arme, je ne sais trop. Je tiens à préciser que je n'ai jamais mis ce fantasme à exécution et je ne pense pas que j'aurais le *guts* de le faire. C'est juste excitant d'y penser...»

Dans les fantasmes où une femme a des relations sexuelles avec une ou des personnes en situation d'autorité, il faut faire une distinction entre ceux où ces relations sont imposées par la menace ou la force et ceux où elles sont librement consenties. Pour le moment, tenons-nous-en à la deuxième catégorie, qui se veut essentiellement un exercice de valorisation grâce au pouvoir de séduction. Le sex-appeal féminin utilisé volontairement devient une arme pour renverser le pouvoir détenu par le mâle. Dans le fantasme de Louise C., on ne peut pas parler de soumission, puisque le policier ne manifeste aucune arrière-pensée sexuelle lorsqu'il s'approche de la voiture. Au contraire, dans son fantasme, c'est elle qui fait les premiers pas et qui s'offre à l'agent sans que celui-ci n'ait exercé la moindre pression en ce sens. Il en va de même dans le fantasme de Cécile B.

(Cécile B.:) «...de temps en temps, on présente à la télé des concours de beauté du genre «Miss Machintruc». Les promoteurs de ces compétitions me font bien rigoler quand ils les présentent comme des concours de personnalité. On voit tout de suite à la tête des concurrentes que la matière grise ne leur sort pas par les oreilles et que leurs mensurations pèsent plus lourd que leur quotient intellectuel dans l'évaluation de leur «personnalité». N'empêche que ces concours me font bien prendre mon pied. Je deviens moi-même une des concurrentes, mais les règles du jeu sont passablement différentes. Le concours s'intitule «Miss Salope» et la personnalité n'a plus rien à voir. Non mais, sans blague, je suis certaine que tous ceux qui ont déjà regardé un de ces concours — surtout les hommes — s'imaginent que certaines concurrentes sont prêtes à tout pour l'emporter. Alors, pourquoi ne pas y aller à fond et établir des règlements qui sont clairs pour toutes les participantes. La première épreuve consiste à faire un strip devant les caméras. Les dix meilleures candidates passent ensuite à la seconde étape, celle du combat dans la boue, nues évidemment. Les cinq survivantes accèdent à la demi-finale, où elles seront départagées dans un concours de fellation. Chaque candidate est *matchée* à un juge. Au son du timbre, elles doivent le sucer jusqu'à l'éjaculation. Les trois premières à réussir l'exploit accèdent à la grande finale. Et attention, il ne faut pas échapper une goutte du précieux liquide, sous peine d'être disqualifiée. L'épreuve finale est rien de moins que la tournée des juges dans leurs chambres d'hôtel, le tout étant filmé par des caméras cachées. Les candidates ont le choix de rencontrer les juges individuellement ou en groupe. Et c'est le public qui vote. Je ne gagne pas tout le temps, mais je ne rate jamais l'orgasme. Après tout, dans ce genre de concours plus que dans n'importe quel autre, l'important, c'est de participer...»

Les femmes qui entretiennent des fantasmes ayant la séduction comme thème principal donnent volontiers dans la provocation. C'est le cas de Karine P.

(Karine P.:) «...je suis très attirée par les camionneurs, même si je n'en ai jamais seulement embrassé un. Je leur trouve quelque chose de très viril. Je possède une voiture décapotable. L'été, lorsque je roule sur l'autoroute avec la capote relevée, je suis toujours excitée lorsque je dépasse un camion-remorque. Je sais que le chauffeur me regarde avec des yeux gourmands. Ça me donne des envies pas très catholiques. Par exemple, au moment où j'arrive à la hauteur de la cabine d'un camion, je m'imagine que je ralentis pour aller à la même vitesse que lui. Je déboutonne ma chemise pour lui montrer mes seins. Puis je relève ma jupe et je commence à me masturber avec ma main gauche. Le chauffeur est rouge d'envie. Il me fait signe de m'arrêter à la prochaine sortie, où je sais qu'il y a un relais de camionneurs. Arrivée là, je vais le rejoindre dans la section de stationnement réservée aux camions. Pendant que nous roulions, il a dû raconter mon petit strip à ses copains sur la bande radio (CB), car il y a cinq camionneurs qui sont rassemblés autour de son poids lourd. Il possède un de ces tracteurs avec une cabine de luxe. Derrière le siège du conducteur, il y a une rallonge avec un lit. Je monte dans la cabine avec eux et ils viennent m'y rejoindre chacun leur tour. D'autres camionneurs de passage à cet endroit se mettent aussi de la partie. Il n'y a pas de limite au nombre de camionneurs que je peux m'envoyer dans cette cabine. J'ai parfois une autre variante du même fantasme. Au lieu de m'arrêter dans un relais de camionneurs, je me rends dans un de ces motels miteux qu'on voit souvent le long des autoroutes. Mon camionneur a contacté une dizaine de ses copains et ils se donnent rendez-vous à cet endroit. Je les reçois tous dans ma chambre. Je fais l'amour avec chacun d'eux, mais je ne les amène pas à l'orgasme. Lorsqu'ils m'ont tous bien baisée, je m'étends sur le lit et je leur demande de se masturber au-dessus de moi. Ils s'exécutent, en s'efforçant de tous éjaculer en même temps. Au bout de quelques secondes seulement, je suis inondée sous une douche de sperme. Puis ils se rhabillent et d'autres camionneurs viennent prendre leur place.»

Si j'en crois le témoignage de certaines femmes, il arrive que le conjoint ou le mari participe à de tels fantasmes. Sophie G. m'a raconté un truc auquel elle a longtemps rêvé et qu'elle a fini par mettre en application, après en avoir discuté avec son mari.

(Sophie G.:) «...mon mari et moi voyageons souvent entre Montréal et Québec. Lorsque je trouve le trajet trop ennuyant, il m'arrive de mettre un peu de piquant dans notre voyage en faisant une pipe à mon mari. Il adore se faire sucer pendant qu'il conduit; il prétend que ça lui donne des orgasmes incroyables. Il arrive aussi que nous faisions monter des auto-stoppeurs. Et ça, je dois dire que ça me chicote toujours un peu, sexuellement parlant, je veux dire. Un jour, je m'en suis ouvert à mon mari. Je lui ai dit que ça m'exciterait beaucoup de lui faire une pipe devant un auto-stoppeur. Cette idée l'a bien amusé et nous avons décidé de le faire pour vrai. En fait, nous avons mis au point un scénario que nous avons utilisé à quelques reprises. Lorsque nous voyons un auto-stoppeur qui a une mine sympathique, mon mari me dépose le long de l'autoroute un kilomètre plus loin. Il revient ensuite sur ses pas et fait monter l'auto-stoppeur. Celui-ci n'est pas sitôt installé que mon mari s'arrête à nouveau pour me faire monter. Il demande à l'auto-stoppeur de me céder sa place, ce qui n'est jamais un problème. Chemin faisant, la conversation dévie sur le sujet de la sexualité et des fantasmes sexuels. Mon mari raconte que son rêve, c'est de se faire sucer au volant. Pas de problème, que je lui dis, je vais vous arranger ça. Sitôt dit, sitôt fait, sous le regard incrédule de l'auto-stoppeur. C'est fou ce que ça m'excite. La dernière fois que nous avons fait ce petit numéro, le pauvre auto-stoppeur s'est mis à se masturber. Quand mon mari a vu ça, il m'a fait un clin d'œil et j'ai tout de suite saisi le message. Quand j'ai eu terminé avec lui, je suis allée rejoindre l'auto-stoppeur sur la banquette arrière et j'ai terminé le travail pour lui. Je crois qu'il n'avait pas tellement l'habitude, à en juger par la formidable éjaculation qu'il a eue. J'ai failli m'étouffer tellement il y en avait. J'en ai eu plein le visage et les cheveux, ça a giclé sur les housses et dans la glace arrière. Il a fallu s'arrêter à la sortie suivante pour nettoyer tout ça. Le jeune était tellement gêné que nous lui avons avoué que nous avions tout planifié. Quelle aventure! Maintenant que je sais que mon mari a un petit côté voyeur et qu'il consent à ce que j'aie des relations sexuelles avec d'autres hommes, je sens que notre vie sexuelle va explorer de nouveaux horizons...»

Comme je l'ai précisé au début, le fait d'avoir des fantasmes ne mène pas nécessairement à leur concrétisation dans la réalité. Même que l'exemple précédent serait plutôt l'exception. En règle générale, les fantasmes appartiennent au domaine de l'imagination et y demeurent. C'est d'ailleurs là qu'ils sont les plus utiles. Il fut une époque pas si lointaine — on n'a qu'a remonter aux années soixante-dix — où les femmes dotées d'un appétit sexuel insatiable pouvaient avoir des relations sexuelles avec plusieurs partenaires différents, tous à la fois si tel était son bon plaisir. C'était la décennie de l'amour libre. Il suffisait d'un bon moyen de contraception pour s'y adonner sans courir trop de risques. Aujourd'hui, avec la prolifération des MTS et la menace du SIDA, un tel comportement serait extrêmement dangereux, voire suicidaire. C'est pourquoi il est préférable de se contenter d'en rêver.

L'autre aspect qu'il ne faut pas perdre de vue, c'est que dans les fantasmes, nous avons le plein contrôle sur les actions, les sensations et les émotions. Tandis que, dans la réalité, ça ne se passe pas toujours comme nous le voulons. Au royaume des fantasmes, même la prostitution peut devenir source de plaisir et de stimulation sexuelle. C'est ce qu'il faut retenir du témoignage de Monique C.

(Monique C.:) «...j'ai une vie sexuelle tout ce qu'il y a de plus normale. Ça fait au moins six ans que je n'ai pas eu d'autre partenaire que mon copain, soit

depuis que nous avons choisi de vivre ensemble.
Mon copain est un homme très sensuel, je ne pourrais rêver d'un meilleur amant. Pourtant, il m'arrive
parfois d'avoir l'esprit ailleurs lorsque nous faisons
l'amour. Ce n'est pas que je sois insatisfaite ou que
j'aie de la difficulté à jouir, car mon copain est très
inventif et il a le don de trouver de nouveaux trucs
pour me surprendre quand je m'y attends le moins.
Mais les idées qui me viennent à l'esprit ont pour
effet de multiplier mon plaisir et de me procurer des
orgasmes d'une intensité encore plus grande. Je n'ai
jamais parlé de ça à mon copain, car je crains qu'il
ne soit offusqué par la nature de mon fantasme: je
m'imagine que je suis une prostituée et qu'il est
mon client. À chaque fois que j'ai cette vision, il est
un client différent. Il faut dire que je ne suis pas une
prostituée comme les autres. Je suis la plus convoitée des putes de la *main*, la plus belle, la plus
aguichante, la plus performante. Je suis tellement en
demande que c'est moi qui choisis mes clients. Ils
sont prêts à payer une fortune pour mes services, ils
veulent tous me décrocher la lune. Et moi, je les fais
jouir, tous sans exception. Je suis comme la *call girl*
dans la chanson de Nanette: «Je rends la vie aux
plus impuissants.» D'ailleurs, cette chanson me
trotte souvent dans la tête quand j'ai ce fantasme.
Pour rien au monde, je ne voudrais que mon copain
se doute de mes pensées secrètes. Et même si j'ai
toujours été fascinée par le phénomène de la prostitution, jamais je n'oserais avoir des relations sex-

uelles avec un inconnu, même s'il offrait de me couvrir d'or.»

Depuis le début de ce chapitre, nous avons traité de fantasmes qui transgressent les règles de la moralité, mais non celles de la loi. Le fantasme de Monique C., touchant la prostitution, est la seule exception. Si nous avons choisi de l'inclure dans ce chapitre, c'est parce que beaucoup de gens considèrent que la prostitution, bien qu'illégale au sens de la loi, est un «mal nécessaire». Ce n'est pas pour rien qu'on l'appelle souvent «le plus vieux métier du monde». De toute façon, en ce qui nous concerne, l'attrait qu'exerce le fantasme de la prostitution est davantage son caractère immoral qu'illégal. Il en va de même pour toutes les mises en scène où les participants, peu importe leur nombre, sont des adultes consentants.

De tous les fantasmes qui bousculent les règles de la moralité sans enfreindre la loi, le plus osé est sans doute l'orgie de groupe. Ici, on ne fait plus de distinction entre hommes et femmes, entre personnes connues et étrangères. On peut inventer des variations illimitées sur ce thème. J'en ai retenu deux. D'abord, Johanne T.

(Johanne T.:) «...mon mari est directeur de banque et ce poste l'oblige à participer à de nombreuses activités sociales qui ne sont pas toujours des plus excitantes. Plus souvent qu'autrement, je dois l'accompagner à des soirées de levées de fonds

pour des organismes de charité ou à des dîners don-
nés par des compagnies qui font affaires avec sa
banque. Ces événements sont d'un ennui mortel.
Tout le monde est poli, guindé, constipé. Alors,
pour passer le temps, j'essaie d'imaginer ce qui se
passerait si tous ces gens laissaient tomber les conventions sociales et «lâchaient leur fou» pour
quelques heures. C'est passionnant. Souvent, je me
donne le rôle d'instigatrice. Je m'approche d'un
des convives et je l'entraîne sur un divan ou un
canapé. Je me jette sur lui comme une louve
affamée et j'ai vite fait de lui enlever ses vêtements. D'autres femmes veulent m'imiter. Bientôt,
tout ce beau monde est en train de forniquer à qui
mieux mieux, sans distinction de sexe ou de stand-
ing. Plus ils ont l'air snob, plus je leur prête des
comportements vulgaires. Les femmes les plus dis-
tinguées deviennent des bêtes de sexe, elles veulent
baiser avec tous les hommes. Ou encore, toutes les
femmes se déshabillent et font l'amour entre elles,
couchées dans un grand lit, pendant que les
hommes forment un grand cercle autour du lit et se
masturbent allègrement en observant la scène. Plus
ces soirées sont assommantes, plus j'imagine les
pires extravagances sexuelles. Ça finit par m'exciter comme c'est pas permis et quand nous ren-
trons à la maison, c'est mon mari qui est drôlement
récompensé. Il doit bien se demander comment il
se fait que ces sorties mondaines me stimulent à ce
point...»

Quand il est question d'orgies, les champions incontestés de cette catégorie sont les Romains du temps de l'Empire. Les ouvrages documentant ces formidables partouzes et les films les reconstituant abondent, exerçant un pouvoir d'évocation très fort sur l'imaginaire des femmes. Quelques femmes m'ont raconté les visions que leur inspiraient ces histoires d'orgies romaines. Celle de Nathalie A. est assez représentative.

(Nathalie A.:) «...je suis une des femmes les plus influentes de Rome, étant de la famille impériale, épouse de sénateur ou quelque chose du genre. Les orgies les plus spectaculaires, c'est moi qui les organise. La crème du pouvoir civil et militaire se réunit dans notre luxueuse résidence pour de formidables partouzes qui durent parfois plusieurs jours consécutifs. Je suis la maîtresse de cérémonie et c'est moi qui pars le bal, soit avec un invité ou avec un de mes esclaves noirs. Je me fais un devoir de satisfaire personnellement chacun de mes hôtes, sans égard à leur sexe. Nous bouffons à nous en péter la panse, nous buvons jusqu'à n'en plus voir clair, nous baisons à nous défoncer les tripes, dans l'ordre ou dans le désordre. Pour le divertissement de mes invités, je présente des spectacles où des jeunes filles vierges se font débaucher par mes gardes du corps. Ces jeunes nymphes restent ensuite à la disposition des convives. J'organise aussi des duels de gladiateurs, qui se battent pour les faveurs d'une des dames de la compagnie. Ils doivent se surpasser, car elle a le pouvoir de vie ou de mort sur eux. On ne s'ennuie jamais dans mes orgies...»

Chapitre 3

Jeux interdits

L'attrait du fruit défendu est une pulsion humaine naturelle qui remonte à la création de l'univers. Elle a été ressentie pour la toute première fois par Adam et Ève dans le paradis terrestre où Dieu les avait placés. Ils avaient le droit de goûter à tous les fruits de ce grand jardin, à l'exception d'un seul: celui de l'arbre de la connaissance du bien et du mal. Comme chacun sait, ils ne surent pas résister longtemps à la tentation. L'interdiction de goûter ce fruit était précisément ce qui le rendait si alléchant.

Il en va de même des fantasmes. Il suffit qu'une action ou une attitude soit interdite, soit par les lois ou les conventions sociales, pour qu'elle devienne source de convoitise. Pour certaines personnes, les mises en scène les plus romantiques et les exploits érotiques les plus spectaculaires procurent moins de stimulation qu'une relation sexuelle tout à fait banale, mais qui comporte un élément de risque ou d'illégalité. Ici, danger rime avec volupté.

Dans les deux premiers chapitres, nous avons traité de fantasmes qui, pour la plupart, comportent des gestes et des attitudes acceptées ou tolérées par la société. En effet, aucune loi n'interdit à une femme de baiser avec autant de camionneurs qu'elle en a envie. Le seul châtiment auquel elle s'expose, c'est la désapprobation de son entourage et l'acquisition d'une réputation peu enviable, sans compter les risques d'attraper une MTS. Il en va de même pour toute personne qui participerait à une orgie collective. On peut être plus ou moins favorable à ce genre de pratique, tant que ça se passe entre adultes consentants, chacun est libre de disposer de son corps à sa guise.

Il existe toutefois, même dans la société la plus libérale, certaines limites qu'il ne faut pas dépasser sous peine d'être sévèrement jugé et puni. Il existe aussi des situations qui sont extrêmement compromettantes pour certaines personnes, soit parce qu'elles peuvent les exposer à un scandale public, soit qu'elles sont une menace pour leur sécurité physique. Ce sont précisément ces situations et ces comportements qui meublent les fantasmes de «jeux interdits», dont nous allons traiter dans le présent chapitre. Comme premier exemple, j'ai choisi le témoignage d'Agnès G.

(Agnès G.:) «...depuis toujours, j'ai un faible pour les animateurs de radio. J'ai lu quelque part que

certaines personnes sont visuelles et d'autres sont
auditives. Il faut croire que j'appartiens à la seconde catégorie. Quand j'entends une belle voix
d'homme à la radio, je me mets aussitôt à tenter de
reconstituer le personnage de son propriétaire.
J'essaie de deviner à quoi il ressemble, physiquement. Est-il grand et élancé, ou petit et costaud?
Est-il musclé et viril, ou délicat et sensuel? Est-il
blond, brun, roux? A-t-il une moustache ou une
barbe? Je pense aussi à sa personnalité. Est-ce un
tendre romantique qui adore les dîners aux chan-
delles? Ou un passionné fougueux qui fait l'amour
sur la banquette arrière d'un taxi? Je l'écoute et je
l'imagine en train de me faire la cour avec sa belle
voix de ténor ou de baryton. Chaque animateur
m'inspire des rêves particuliers, ils sont tous aussi
différents et variés que leur voix. Il m'est arrivé de
téléphoner à certains animateurs pendant leur émis-
sion. Je me présente comme une admiratrice, mais
je ne dis jamais mon vrai nom. Je me fais passer
pour une Josée ou une Isabelle. Certains sont très
entreprenants au téléphone. Ça fait à peine cinq
minutes qu'ils vous parlent et déjà, ils vous deman-
dent de vous décrire physiquement. Je crois que ça
les excite pas mal. On voit qu'ils ont l'habitude.
Alors, je joue le jeu. Je leur dis que je suis faite
comme un *top model*, avec les yeux d'Isabelle
Adjani, les lèvres de Julia Roberts, le corps de Kim
Basinger. Et le meilleur est encore à venir: je leur
dis que je suis une chatte en chaleur. Le plus drôle,

c'est que c'est vrai. Ça m'excite tellement que je ne me possède plus. J'imagine le gars en train de se masturber à l'autre bout du fil. Quand je suis réchauffée et que l'animateur donne bien la réplique, je peux me laisser aller aux pires obscénités. Je lui fais dire ce qu'il voudrait me faire et j'en redemande. Je prends mon pied en même temps que lui, avec une merveille de petit vibrateur que je garde spécialement pour ces occasions. Ces séances de conversation érotique avec un animateur de radio me donnent mes meilleurs orgasmes, sans blague. Je me laisse aller comme jamais je n'oserais quand je fais l'amour avec un homme. Je gémis dans l'appareil, je roucoule, je miaule, je hurle de plaisir. Et c'est ici qu'intervient mon fantasme: ce serait que l'animateur me mette en ondes. En appuyant par erreur ou par mégarde sur un bouton quelconque, notre conversation téléphonique se ferait entendre dans la radio. Des milliers d'auditeurs seraient témoins de mes élucubrations sexuelles, j'aurais l'orgasme le plus répercutant en ville. J'ai parlé de ce fantasme à quelques animateurs et ça les a bien amusés. Il y en a deux ou trois qui ont menacé de relever le défi, mais ça ne m'inquiète pas trop. De toute façon, je n'appelle jamais le même animateur deux fois. Et je refuse carrément de leur donner mes coordonnées. Je leur dis que je vais les rappeler. Une fois, il y en a un qui m'a rappelée. Il devait avoir un afficheur sur son appareil. J'ai changé ma voix et j'ai réussi à le convaincre qu'il avait un mauvais numéro. Mais je dois avouer que ça m'a bien tenté de céder à ses avances et de consentir à le rencontrer, puisque c'était bien pour cela qu'il appelait. J'ai repensé souvent à ce que cette rencontre aurait pu être. Je ne regrette pas ma décision. Pour moi, un fantasme doit demeurer un fantasme. Quand on mélange la fiction et la réalité, on est souvent porté à faire les mauvais choix...»

Agnès a bien raison. Son petit jeu, qui consiste à appeler des animateurs de radio et à les exciter au téléphone, est assez inoffensif en soi, surtout qu'elle s'y adonne sous le couvert de l'anonymat. Mais de là à le faire sur les ondes, c'est une autre paire de manches. On imagine facilement les conséquences fâcheuses que cela pourrait avoir pour l'animateur, sans parler du risque que la voix d'Agnès soit reconnue par quelqu'un dans son entourage. Or c'est justement l'élément risque de ce fantasme qui l'excite. Il en est de même dans le fantasme suivant, celui de Danielle C.

(Danielle C.:) «...je travaille comme secrétaire de direction. J'ai le même patron depuis huit ans. C'est le p.-d.g. d'une importante compagnie de distribution. En fait, plus qu'une secrétaire, je suis une véritable mère pour lui. Je tiens son agenda, planifie ses horaires de voyages d'affaires et de vacances, rédige sa correspondance, surveille son budget, calcule ses comptes de dépenses. Je sais tout de lui et de ses opérations. Physiquement, ce n'est pas vraiment mon type, mais il y a des traits chez lui qui me plaisent. C'est un homme dans la quarantaine avancée, qui paraît son âge. Bien qu'un peu corpulent, il a l'air très noble et distingué. Même si je suis beaucoup plus jeune que lui, il me vouvoie encore après toutes ces années. Je l'ai accompagné quelques fois pour des voyages d'affaires, à Toronto et à New York, et il s'est toujours comporté en gentleman. Il ne m'a jamais fait d'avances et il ne s'est jamais rien passé entre nous. Mais j'avoue que je ne détesterais pas ça. C'est surtout quand j'ai affaire à son épouse que ces envies me viennent. Cette femme est une vraie *bitch*. Elle veut tout contrôler dans la vie de mon patron, elle passe son temps à le déranger. Elle intervient dans ses affaires et elle écornifle dans les comptes de dépenses. En plus, elle est jalouse comme une tigresse. Pauvre elle, si elle savait, elle ne se donnerait pas tant de mal. Plus fidèle que mon patron, il ne s'en fait plus. Mais j'aime à penser que s'il devait avoir une aventure, ce serait avec moi. Et que si je m'y mettais sérieusement, j'arriverais à le séduire. J'en ferais d'abord mon amant, puis j'en ferais mon esclave de sexe. Il me ferait l'amour tous les matins, sur son grand bureau. Et lorsque sa femme viendrait le voir au bureau, il la ferait attendre à la réception, prétextant une importante réunion, pendant que je serais à genoux sous son bureau, son pénis plein la bouche. Et pendant que madame ferait les cent pas, il rem-

plirait ma gorge de son sperme chaud, en bar-
bouillerait mon visage, en éclabousserait ma
poitrine tendue. Je ne voudrais surtout pas que mon
patron se doute qu'il me trotte des idées pareilles
dans la tête. Je dois dire aussi que je ne passe pas
mon temps à penser à ça. Comme je l'ai mentionné
plus tôt, c'est surtout quand son épouse me fait la
vie dure que ça me prend. Personnellement, je
crois au vieil adage anglais *«don't f___ the pay-
roll»*: il ne faut pas mêler le travail et le plaisir.
J'aime trop mon emploi — et mon patron — pour
courir ce risque...»

Il existe des gens qui raffolent de ce genre de situations où il existe un danger réel d'être pris en flagrant
délit. Plus qu'un stimulant, c'est un véritable besoin.
Ils sont comme ce couple dans le fameux film «Tout ce
que vous avez toujours voulu savoir sur le sexe, sans
jamais oser le demander», de Woody Allen: la femme
n'arrive à faire l'amour que dans les endroits publics,
au grand désespoir de son mari. J'ai eu une correspon-
dante qui avait ce problème et elle ne savait plus à quel
saint se vouer. À l'inverse, la plupart des femmes qui
se contentent de fantasmer là-dessus seraient bien
incapables d'accomplir pareil exploit. Elles seraient
paralysées de frayeur à la pensée d'être surprise en
plein action.

Chacun a sa propre conception de ce qu'est le danger. Pour plusieurs, les seules situations vraiment pé-

rilleuses sont celles qui mettent leur vie en jeu. C'est comme ça que ça se passe dans la tête de Nicole L., championne toutes catégories des jeux dangereux.

(Nicole L.:) «...je suis une lectrice assidue de romans policiers et de livres d'aventures. J'adore une bonne intrigue, surtout lorsqu'il y a une femme au cœur de l'action. C'est mon fantasme d'être une de ces héroïnes. Et comme je ne suis pas féministe pour deux sous, vous pouvez vous imaginer que j'utiliserais tous mes atours pour me sortir des situations les plus dangereuses. Par exemple, je suis un agent double et on m'a confié comme mission de m'introduire dans l'entourage immédiat d'un caïd de la pègre en devenant sa maîtresse. C'est une mission extrêmement périlleuse. Ce type est une brute sanguinaire, on raconte qu'il fait subir les pires sévices aux femmes qui passent dans son lit. Il est aussi très méfiant. S'il découvre ma véritable identité, je suis bonne pour servir de passoire. Comme il ne fréquente guère que des prostituées, je dois me faire passer pour une pute. Je me fais engager par un de ses «pimps», qui exige évidemment de tâter la marchandise. Pour dissiper tout doute, je me conduis comme la pire des traînées. Je me laisse entraîner dans une partouze à quatre avec lui et deux de ses gorilles. Il est si impressionné qu'il décide de me présenter à son patron. Celui-ci est égal à sa réputation: c'est un animal. Il est violent, excessif, sadique. Lors de notre première rencontre, il me fait prendre une tonne de drogue et m'oblige à baiser avec deux de ses gorilles. C'est lui qui donne les instructions: je dois d'abord les sucer, puis ils me prennent à tour de rôle en essayant toutes les positions. J'ai toujours un pénis dans la bouche et un autre bien enfoncé dans la vulve. À un moment donné, je me retrouve à califourchon sur un des deux colosses, son monstrueux engin entre les ovaires, tandis que l'autre me chatouille les amygdales avec son gland hypertrophié. Le caïd s'approche alors derrière moi et m'oblige à me pencher par en avant. Le gorille que je suis en train de sucer me prend par les cheveux et fait rythmer ma tête au mouvement de ses hanches. Je sens la chaleur d'un membre bien tendu qui s'introduit entre mes fesses et je relève un peu la croupe pour montrer que je suis prête à le recevoir. Le caïd me saisit solidement par les hanches et, poussant un râlement de bête sauvage, me sodomise d'un seul coup de toute la longueur de son pénis. Je ressens une explosion à l'intérieur de mes entrailles, mais je retiens mon cri de douleur. Je fais semblant d'aimer ça. Je réussis à dégager mes lèvres juste assez lontemps pour hurler «encore! encore!, c'est bon!» Et les trois hommes se laissent aller à leurs plus vils instincts, m'abreuvant de leurs insultes et de leur sperme. Cette performance est convaincante et je deviens la maîtresse du caïd. Grâce aux informations que je refile à mes supérieurs, nous sommes en mesure de lui tendre un piège. Mais en attendant que mes collègues passent à l'action, je dois continuer à être sa maîtresse.

«Mes scénarios ne sont pas tous aussi extrêmes que celui-là. Parfois, je suis une espionne chargée de séduire un politicien ou un haut-fonctionnaire étranger. Ces missions sont plus agréables et, en règle générale, plus romantiques. Mais elles comportent quand même leur part de risques. Il ne faut jamais éveiller de soupçons et la meilleure manière d'y arriver, c'est de bien jouer les amoureuses éperdues. Plus le mec est excité, plus on a de chances de lui arracher des secrets d'État.

«Un autre truc qui m'excite beaucoup, c'est le passage du poste-frontière. C'est une autre histoire d'espionnage, sauf que cette fois je cherche à sortir d'un pays ennemi avec des tueurs à mes trousses. J'arrive à un poste-frontière, mais les deux douaniers sont hostiles. Comme je n'ai aucun papier d'identité, ils décident de me garder en détention pour la nuit. Ils ont des idées derrière la tête et je suis toute disposée à y voir. Je me prête de bon gré à tous leurs désirs masculins et les mets au défi de me rassasier, de m'épuiser. Piqués dans leur orgueil, ils déploient toute leur énergie pour être celui qui me fera demander grâce. Mais c'est moi qui ai le dernier mot. Au petit matin, complètement exténués, ils tombent dans les bras de Morphée et je peux en profiter pour m'évader.

«S'il m'arrive souvent de rêver à de telles aventures, ce n'est pas parce que je suis une fille très audacieuse de nature. En réalité, j'ai peur de mon ombre. Il s'agit peut-être d'une forme de compensation...»

Les fantasmes dont il a été question depuis le début de ce chapitre comportent tous un élément de risque. Nous allons maintenant nous pencher sur ceux qui vont à l'encontre des règles édictées par la société. Ces fantasmes de jeux interdits sont souvent une forme de révolte, une réaction à une oppression réelle ou symbolique qu'on a subie à un moment donné de sa vie. Pour plusieurs, cette source d'oppression est la religion. Et cela s'exprime par des fantasmes qui profanent ou tournent en dérision les personnes et les objets les plus sacrés de la tradition religieuse. J'ai retenu deux témoignages illustrant ce type de fantasmes.

(Hélène B.) «...je viens d'un petit village de campagne, née dans une famille nombreuse. J'ai reçu une éducation très religieuse, qui a été la source de nombreuses frustrations tout au long de mon enfance et de mon adolescence. Quand j'étudiais chez les sœurs, j'étais une élève rebelle et on m'infligeait régulièrement des corrections corporelles, le plus souvent des fessées. Je dois avoir certaines tendances masochistes, car j'avoue que ces châtiments corporels m'apportaient presque autant de plaisir que de douleur. Surtout quand je regagnais

mon lit et que je me masturbais fébrilement, couchée sur le ventre pour ménager mon pauvre
postérieur tout enflé. Je dois vous dire qu'à l'époque, j'avais l'imagination fertile quand venait le
temps de me donner du plaisir. La religion occupait
une part importante de cet univers irréel. Je fantas-
mais sur les péchés capitaux. Vous vous rappelez:
l'avarice, l'envie, la paresse, la colère, la gourman-
dise, l'impureté et l'orgueil. Je les commettais tous
successivement, mon préféré étant évidemment
l'impureté. Mais ce n'était pas tout de les commet-
tre. Après, il fallait s'en confesser. Et pour moi, un
confessionnal, c'est un peu comme une chambre de
prostituée: on se met à nu devant un homme.
D'aussi loin que je me rappelle, le sacrement de la
pénitence et le sombre cabinet qui en est la scène
m'ont toujours fascinée. Chaque fois que j'attendais mon tour devant le confessionnal, je revoyais
le même fantasme. J'imaginais que j'allais prendre
place dans un confessionnal nouveau genre, avec
une cloison qui ne séparait que la partie supérieure
des deux cellules. De cette façon, le confesseur
pouvait s'asseoir face à moi et je m'agenouillais
entre ses jambes. Le haut de son corps demeurait
caché derrière la cloison, si bien que je ne pouvais
voir son visage. Je débitais rapidement mes péchés,
honteuse et repentante. J'avais d'hâte d'arriver à la
pénitence, que vous devinez bien. Mon confesseur
ouvrait sa braguette, m'offrant le divin pénis que je
m'empressais d'avaler comme une hostie: entre la

langue et le palais, sans se servir des dents. Mon fantasme ne se limitait pas à l'espace exigu du confessionnal. Parfois, ma pénitence était plus sévère et mon confesseur devait utiliser des instruments. Il m'entraînait dans des lieux appropriés et c'était toujours un délice d'être châtiée. Lorsque je me suis mariée, la religion a pris le bord. Je ne vais presque plus à l'église, si ce n'est pour les mariages, les baptêmes et les funérailles. Mais chaque fois que je mets les pieds dans une église et que je vois un confessionnal, ce fantasme refait surface...»

(Sandra F.:) «...je possède un passe-temps assez amusant, qui consiste à profaner les lieux publics. Plus l'endroit est l'objet d'une grande vénération, plus ça m'excite. En haut de ma liste, il y a les musées et les églises. Les salles de spectacle, les gares, les arénas et les fêtes foraines sont aussi des bons *spots*. Je n'ai pas une vie amoureuse très stable et je change assez souvent de partenaire. Ceux que je garde le plus longtemps sont ceux qui répondent bien à ce genre de situations «à risques». J'ai quelques exploits dignes de mention à mon palmarès, mais je n'ai pas encore réalisé le dixième de tout ce que j'aimerais faire. Par exemple, j'ai fait l'amour dans un autobus et une autre fois dans un train. Mais je n'ai jamais eu le *guts* de le faire dans un avion ou, ce qui serait le «boutte du boutte», dans le métro. J'ai fait de nombreuses pipes à mes chums au cinéma, mais je n'y ai jamais fait l'amour.

Ça doit être quelque chose. Au musée, je l'ai fait quelquefois, c'est toujours super. Mais le *top*, c'est dans une église. Je suis vraiment ce qu'on appelle une hérétique. Si j'avais vécu à une autre époque, on m'aurait brûlée comme une sorcière. L'idée du bûcher, ça me donne des chaleurs. J'aurais donc aimé ça, finir comme Jeanne d'Arc. Je le mériterais bien plus qu'elle, remarquez, car je n'ai rien d'une sainte. Pour en revenir aux églises, elles sont pour moi comme une invitation au sexe. Jésus n'a-t-il pas dit: «aimez-vous les uns les autres»? Pour que ce soit vraiment excitant, il faut qu'il y ait du monde dans l'église. C'est plus excitant de faire une pipe lorsqu'il y a des fidèles dans la nef, au milieu d'une célébration religieuse, que d'y faire l'amour lorsqu'il n'y a pas un chat. Mon rêve, ce serait de faire l'amour sur l'autel. C'est mon fantasme ultime. Je l'ai réalisé à moitié, puisque j'ai déjà fait l'amour sur l'autel d'une chapelle extérieure. C'était dans la grande cour d'un monastère, sous la pleine lune d'août. J'étais tombée sur un copain qui *tripait* là-dessus lui aussi. Par la suite, nous nous sommes donné comme défi de le faire dans une vraie église, mais l'occasion ne s'est jamais présentée. Nous nous sommes laissés au bout de quelques mois et je ne l'ai jamais revu. Les autres copains que j'ai fréquentés depuis ne sont pas tous aussi aventuriers en ce qui concerne les trucs religieux. Ça ne fait rien, je finirai bien par en convaincre un de m'aider à concrétiser ce fantasme. En attendant, je ne me prive pas d'y penser et ça m'excite toujours autant...»

Si certaines pratiques sexuelles sont condamnées par la religion, d'autres le sont par la société en général. On pense notamment à l'inceste, qui dans bien des cas est considéré comme un crime sévèrement puni par la loi, ou encore comme une déviation qui exige un traitement psychologique. Cette interdiction, aussi bien morale que légale, n'empêche pas certaines personnes de s'y adonner, avec des conséquences souvent néfastes pour ceux et celles qui en sont les victimes.

La psychologie moderne nous enseigne que le père symbolise la première image de l'homme pour la fillette qui fait son apprentissage de la vie. La relation avec son père conditionnera, d'une certaine façon, les rapports qu'elle entretiendra avec les hommes pour le reste de sa vie. Nombreuses sont les femmes qui, à un moment ou un autre de leur enfance ou de leur adolescence, ont désiré sexuellement leur père. Dans certains cas, ces fantasmes restent bien présents même une fois passé le seuil de l'âge adulte. C'est le cas de Lorraine D.

(Lorraine D.:) «...mon père est un comédien bien connu, mais que je n'ai pas beaucoup connu personnellement. Lui et ma mère se sont séparés alors que j'étais encore jeune et cette séparation m'a beaucoup marquée. Mon père n'avait pas, mais pas du tout, la fibre paternelle et ses visites annuelles pouvaient se compter sur les doigts d'une main. Il m'a manqué énormément. C'était un très bel homme, il jouait souvent les rôles de séducteur dans les téléromans ou au théâtre. Beaucoup de femmes se pâmaient pour lui et j'en ai pris conscience très jeune. Chaque fois que je le voyais à la télé, il y avait une femme différente qui lui tombait dans les bras. Et moi, qui étais sa propre fille, le sang de son sang, c'est à peine s'il m'embrassait sur le front. Sans doute à cause d'un complexe de culpabilité ou d'un sentiment d'incompétence, il était froid et distant avec moi, lui que ma mère décrivait comme chaleureux et sensuel. Pour moi, c'était comme s'il avait renié mon sexe. J'aurais tant souhaité qu'il se conduise avec moi comme avec les autres femmes. Et plus je le sentais distant, plus je le désirais. Quand j'ai commencé à sortir avec les garçons, je pensais toujours à mon père quand je les embrassais. Ce fut la même chose lorsque j'ai fait l'amour pour la première fois: j'imaginais que je faisais l'amour avec lui. Finalement, je suis tombée amoureuse d'un homme qui faisait l'amour exactement comme mon père dans mes rêves. Je ne regrette pas mon choix, cet homme m'a rendue et me rend encore très heureuse. Mes efforts pour me rapprocher de mon père n'ont porté fruit qu'à la toute veille de sa mort, il y a trois ans. Mon fantasme ne s'est jamais réalisé, il va sans dire, mais j'y pense encore de temps en temps. Dans ce temps-là, je le revois dans une de ces scènes de séduction qui l'ont rendu célèbre et je suis sa partenaire. Ça finit toujours que nous faisons l'amour, à la grande joie des spectateurs ou des membres de l'équipe de production...»

Dans les fantasmes incestueux, c'est le père qui est le plus souvent le héros. Mais il arrive parfois que ce soit un frère. C'est ce que m'a confié Chloé L.

(Chloé L.:) «...j'ai un frère jumeau qui habite mes fantasmes depuis ma tendre enfance. C'est mon seul frère et c'est aussi mon meilleur ami. Mais il n'est pas au courant de mes fantasmes à son sujet. Je ne lui en ai jamais parlé, car je crains que cela ne mette en péril notre si belle complicité. S'il ne partage pas l'attirance que j'ai pour lui, je crains qu'il ne s'en offusque. Et s'il a les mêmes désirs secrets, nous serions tentés de nous y abandonner, avec tous les risques que cela comporte. Nous pourrions prendre goût l'un à l'autre et n'être plus capables de nous en passer. Mais son image apparaît souvent dans mes rêves et quand j'ai des relations sexuelles, je pense souvent à lui. J'ai découvert la sexualité en même temps que lui et son corps n'a aucun secret pour moi. Je connais toutes les parties de son anatomie, incluant les plus intimes, je connais aussi son odeur, la couleur de sa peau, la texture de sa chair. Pour moi, il est beau comme un dieu. Il a un pénis magnifique, d'une longueur assez exceptionnelle, qui courbe vers le haut en forme de banane lorsqu'il est en érection. Quand nous avions 11 ou 12 ans, nous explorions nos corps ensemble et j'ai été la première fille à le masturber. Aujourd'hui, je lui en ferais bien davantage. Mon mari est au courant de mes fantasmes au sujet de mon frère et il accepte bien la situation. Nous avons une vie sexuelle très active et, pourvu que je le satisfasse, il n'a pas d'objection à ce que je pense à quelqu'un d'autre à l'occasion, en l'occurrence mon frère. Mon mari est du même avis que moi, il croit que c'est préférable de ne rien révéler à mon frère...»

Chapitre 4

Domination, abandon, masochisme

Qui n'a pas entendu parler de la fameuse théorie du dominé-dominant. Dans chaque couple, croit-on, on trouve une personne dominée, celle qui se laisse «mener par le bout du nez», qui est toujours à la rescousse de l'autre, qui demande plus d'amour et qui se sent plus faible, et une autre qui domine, qui est au-dessus de ses affaires, qui prend les décisions, qui dirige toute la circulation en ce qui concerne l'amour. La vie n'est pas aussi simple que ça. Dans chaque couple, on retrouve un dominé et un dominant, mais ce rôle peut changer très fréquemment. Une femme, dans certaine situation, peut se sentir complètement dominée, et dans une autre, complètement dominante. Les fantasmes peuvent cependant être un baromètre assez précis pour nous dire dans quelle catégorie nous nous trouvons: dominé ou dominant.

Encore une fois, il importe de rappeler que le fait d'entretenir un type de fantasme ne signifie aucunement qu'on ait besoin ou même envie de la concrétiser. Comme le soulignent les psychologues américains

Albert et Elizabeth Allgeier dans leur ouvrage *La sexualité: dimensions et interactions*: «... il faut distinguer, en effet, la réalité psychique de la réalité physique. Des gens ont des fantasmes...» (pp. 251-252).

Ceci dit, nos fantasmes peuvent être, dans une certaine mesure, le reflet de notre âme. Une femme qui n'aime pas, par exemple, les hommes très maigres, sera rarement en compagnie de ce type d'hommes dans ses rêves éveillés. Une femme qui, dans ses fantasmes, se voit complètement dominée, cela s'explique assez facilement. Voulant, inconsciemment, se libérer de la responsabilité de sa propre excitation sexuelle, elle s'imagine dans une situation où l'excitation est impossible à atteindre dans la vie réelle. En d'autres mots, elle se place dans une situation où elle se dit: «... ce n'est pas de ma faute».

Le premier témoignage pour illustrer la domination sexuelle en fantasme présente un scénario assez classique. Les deux autres qui vont suivre sont plus subtils où domination et masochisme se mêlent. Il y a une très nette différence entre la domination et le masochisme. Nous verrons, un peu plus loin, comment le masochisme s'exprime dans la vie. La domination, si on peut s'exprimer ainsi, est plus une notion psychologique de l'abandon. On aime se retrouver dans des situations où on ne contrôle plus rien, où notre esprit s'abandonne à l'être aimé ou à l'être choisi pour notre fanstame. Il arrive d'ailleurs très souvent que le fantasme d'abandon se déroule avec une personne inaccessible, impossible à conquérir, ce qui ajoute encore plus de piquant à l'excitation.

(Geneviève S.:) «...je ne suis pas une femme très chaude. J'aime bien faire l'amour, mais je me dis souvent que je pourrais passer des mois et des mois sans jouir que ça ne me dérangerait pas. Mariée depuis six ans, mon mari, qui n'est pas, lui non plus, une bête de sexe, est cependant plus exigeant que moi. Nous faisons l'amour de façon irrégulière. On peut faire l'amour tous les jours pendant deux ou trois semaines et passer un mois sans se toucher. C'est pendant ces périodes plus ou moins longues d'abstinence que mon fantasme me revient constamment. Curieusement, c'est plus un rêve qu'un véritable fantasme. Quand je suis à moitié endormie, je me vois accrochée à un homme qui veut me quitter. L'homme est un ancien ami d'enfance, un garçon que j'ai aimé follement en secret. Il était trop populaire avec les filles et je manquais trop de confiance en moi-même pour faire sa conquête. À un moment donné, je suis à genoux devant lui, je m'accroche à sa jambe, je veux l'empêcher de me quitter. Il me traîne, il me supplie de le laisser tranquille, puis, il se penche sur moi, il m'embrasse, il me caresse les seins et il me fait l'amour par terre, sur le plancher en me disant qu'il ne peut pas se passer de moi, qu'il a peur de son amour pour moi. Je suis très excitée sexuellement par ce fantasme. Il m'arrive même de tenter de penser à ça quand je fais l'amour avec mon mari, mais sans aucun succès. Je ne peux pas partager ce fantasme avec lui...»

(Estelle J.:) «...rien ne m'excite plus que de m'imaginer en train de faire la conquête d'un homme qui m'est inaccessible. Je suis célibataire, assez belle femme et sans trop de complexes. Pour être franche, je n'ai aucune difficulté à rencontrer un homme quand j'ai vraiment le goût de faire l'amour. Il faut dire cependant que depuis quelques années, j'ai 28 ans, ça ne m'intéresse plus du tout. J'ai plus le goût d'une relation stable, de faire l'amour avec un homme que je connais bien, qui me connaît bien. Ça ne m'empêche pas d'avoir des fantasmes. Et celui qui me revient constamment met en vedette un homme qui, je crois, est homosexuel. S'il n'est pas homosexuel, il a très peur de moi parce qu'il n'a jamais répondu à mes avances, souvent très directes. Je m'imagine avec lui dans une très belle chambre d'hôtel. Nous sommes là par hasard. Je décide d'aller prendre ma douche et je laisse la porte de la salle de bains complètement ouverte. Je m'arrange toujours pour ne laisser voir que mes fesses pour qu'il puisse s'exciter en me regardant en toute tranquillité. Lorsque je me retourne, je me rends compte qu'il ne fait pas du tout attention à moi. J'ai beau me masturber devant lui, respirer très fort, jouir devant lui, rien n'y fait. Je suis généralement couchée dans mon lit quand mon fantasme m'accapare et je me masturbe avec passion. Il m'arrive de fantasmer dans ma douche, comme si je me retrouvais vraiment avec lui dans une chambre d'hôtel. Jamais, dans mon fantasme, je ne parviens à faire l'amour avec lui. Dès que je pousse mon esprit à l'imaginer nu, à le voir me caresser, à imaginer son pénis que je mets dans ma bouche, je perds complètement ma concentration et je ne ressens plus aucune excitation. D'ailleurs, tous mes fantasmes sont empreints d'une défaite. Je ne parviens jamais à faire l'amour avec les hommes que j'imagine dans ma tête. C'est ma façon, je crois, d'avoir du plaisir...»

(Andrée N.:) «...je suis une femme d'affaires et dois diriger une équipe de dix personnes, des hommes et des femmes. On me considère d'ailleurs très dure en affaires et, il faut l'admettre, tyrannique. Je suis une femme très seule au travail. À la maison, c'est un peu la même chose. Par contre, en amour, je suis une femme très soumise. J'aime bien que mon mari prenne les guides et s'occupe de tous les détails de la vie. Sexuellement, je me considère comme une femme passive, mon mari me l'a reproché assez souvent. Mais, comme nous sommes mariés depuis 18 ans, nous n'avons plus de discussion relative à notre vie sexuelle. Nous ne faisons pas très souvent l'amour non plus. Il faut dire que mon mari est un homme du matin. Il aime faire l'amour le matin, au réveil, comme s'il était plus en forme. Moi, je me décris comme une femme d'après-midi. J'ai remarqué que, dans tous mes fantasmes, je me retrouve en après-midi, après le dîner, devant une bonne bouteille de vin. Je suis toujours avec des inconnus ou des hommes que j'ai vus par hasard à la télévision, dans l'ascenseur, sur la rue. Ils ont tous sensiblement la même allure. J'aime des hommes plus jeunes que moi, grands et très noirs, avec une barbe forte. J'attache aussi une importance maladive aux mains. J'aime imaginer qu'une main assez imposante, poilue, me caresse. Mais, ce qui revient constamment, c'est le temps énorme que je prends à jouir. Je rêve ou je m'imagine toujours dans les bras d'un homme qui m'abandonne dès que je suis au bord de l'orgasme. Je sais que c'est une forme de masochisme, j'aime souffrir pour mieux jouir, mais ce comportement ne se reflète pas du tout dans ma vie. Par exemple, le fantasme qui me revient le plus souvent est celui où un homme imaginaire a à choisir entre trois ou quatre femmes. Je suis toujours celle qu'il ne choisit pas, mais curieusement, les trois autres femmes ne font pas son affaire. Il revient vers moi pour me faire l'amour et il me couvre de compliments. Je suis la meilleure des baiseuses. Subitement, dans ma tête, même mon vocabulaire change. Je deviens très active, je parle grossièrement. Je me rends compte que je suis tout à fait différente. Je suce, j'accepte même d'imaginer que j'ai des relations anales. Mais le plus bizarre dans toute cette histoire c'est de voir que je ne m'excite pas du tout si je n'ai pas une grosse déception avant de pouvoir baiser...»

On a longtemps dit, il y a plusieurs années, que les femmes étaient sexuellement passives et que les hommes étaient actifs. On sait bien, aujourd'hui, que c'est complètement faux. Il y a, bien sûr, des femmes passives. Il y a aussi des femmes actives, très actives même, mais l'équilibre se situe entre les deux. Un jour, une femme peut se sentir très paresseuse en amour; le lendemain, elle a le goût de prendre les initiatives, de «diriger la circulation», de prendre le contrôle.

Le jeu des fantasmes est fort différent. On remarque, autant chez les hommes que chez les femmes, que nos types de fantasmes ne changent pas beaucoup aux cours des ans. Ils évoluent, mais ils conservent le même déroulement. On remarque aussi que les femmes très actives sexuellement, qui aiment contrôler la situation, vont, comme pour se reposer, devenir très passives dans leurs fantasmes. C'est le fantasme de l'abandon. Il faut expliquer ici que ce genre de fantasme permet, encore une fois, à une femme, de rêver à une façon imaginaire de faire l'amour et que, même si, dans la réalité, l'activité sexuelle n'est pas condamnable comme tel, elle préfère l'imaginer plutôt que la vivre.

75

(Brigitte R.:) «...mes amants et l'homme avec qui je vis depuis trois ans m'ont toujours dit que jamais dans leur vie ils n'avaient rencontré une femme aussi active que moi dans un lit. Je tente bien de faire ma paresseuse quelquefois, de me laisser faire, me faire caresser, me laisser sucer, me laisser pénétrer et jouir sans m'activer, mais, après deux ou trois minutes de paresse, je dois absolument bouger, faire quelque chose, prendre le pénis de mon amant, le mettre dans ma bouche, bouger sur lui, me frotter les seins sur tout son corps, changer de position, jouir de toutes les façons. J'ai peur de l'abandon, j'ai peur de passer pour une fille plate dans le lit. Pourtant, quand je fantasme, je suis la plus passive des femmes. Un de mes fantasmes préférés revient constamment dans ma tête quand j'ai vraiment une envie irrésistible de faire l'amour. Je me trouve seule avec un homme, généralement dans un lieu très paisible et très romantique. Le bord de la mer, lorsque le soleil se couche lentement, ou un chalet de montagne, l'hiver, quand le foyer nous chauffe le corps, voilà mes endroits de prédilection. Je me laisse déshabiller lentement, je ferme les yeux et je sens les mains, la langue, les bras de mon amant qui me caresse très lentement, très doucement. J'imagine aussi qu'il utilise une huile douce et chaude pour me masser le corps. Il palpe mes seins, il pétrit mes fesses avec cette huile, il caresse mon clitoris en faisant un mouvement rond sur ma vulve. Puis, il entre tout douce-

ment un doigt dans ma vulve, il caresse mon anus
en même temps et sa langue mouille ma bouche,
mes lèvres. Pendant tout ce temps, je ne bouge toujours pas. Puis, nos deux corps huilés glissent l'un
sur l'autre. Quand son pénis, chaud et dur, me
pénètre, la sensation de va-et-vient me rend folle de
plaisir. J'ai toujours les yeux fermés, j'ai même de
la difficulté à mettre un visage sur cet amant magnifique puisque je ne le regarde pas. Je veux le
sentir en moi, je veux jouir en même temps que lui,
je veux qu'il éclabousse son sperme sur mon ventre
et qu'il continue à me caresser avec son élixir
d'amour. Quand j'ouvre les yeux, je suis déjà en
train de me masturber sans m'en être rendue
compte. Je suis toute mouillée et je me dis que la
prochaine fois que je vais faire l'amour avec mon
chum, je me laisserai faire, je lui demanderai de me
faire un massage avec de l'huile. Peine perdue, dès
que je suis avec lui et que nous nous désirons, je
deviens active, incapable de me laisser faire. Il faut
croire que j'aime la passivité dans mes fantasmes
et pas ailleurs...»

Si certaines femmes ont des fantasmes de dominées, d'autres vont préférer, et de loin, avoir des fantasmes de dominantes. Elles vont tout contrôler quand
elles s'imaginent faire l'amour avec un homme.
Pourtant, dans leur vie amoureuse, elles ne sont pas
particulièrement actives. C'est le cas de Jeannine qui
m'avouait avoir peur de faire certains gestes dans un

lit parce que, disait-elle, elle ne voulait pas donner une mauvaise impression, elle tenait à sa réputation. Par contre, quand elle fantasmait, elle se payait la traite.

(Jeannine T.:) «...j'ai toujours été une fille timide dans un lit. Je ne me considère pas très jolie et je n'ai jamais vraiment pris l'initiative avec un homme dans un lit. Mais, quand j'ai des pensées sexuelles, je me déchaîne, je deviens complètement délurée. C'est toujours moi qui fais les premiers pas. Je me trouve dans un bar, je rencontre un bel homme et je ne perds pas de temps. Je l'amène chez moi et je lui déchire son linge sur le dos. Puis, je le masturbe très violemment, virilement si je puis m'exprimer ainsi. C'est moi qui dirige complètement les opérations. Je domine totalement et j'aime imaginer les positions que je prends pour faire l'amour. Il m'arrive même de penser que je suis avec deux hommes et que je les domine complètement, les obligeant à me faire plaisir.

«Mais mon fantasme le plus savoureux se passe toujours dans un bar. Je fréquente, à l'occasion, un petit bar très discret. Je prends place sur un petit tabouret et comme je connais bien le serveur, je suis très à l'aise à cet endroit. Quand j'en reviens le soir, je pense aux hommes que j'y ai vus et je me mets à penser à tout ce que j'aurais pu faire. J'aurais pu en attirer un vers moi, lui proposer d'aller à la salle de bains. Là, je m'assis sur le siège de toilettes, j'ouvre les jambes, je baisse ma petite culotte et je l'installe devant moi. Je baisse sa fermeture éclair, je sors son gros pénis bien dur et je le suce vigoureusement pendant que je me masturbe. Avec ma main gauche je lui masse les testicules tout en continuant à le sucer, à lui passer la langue sur le gland, en prenant bien soin de bien mouiller, avec ma salive, le bout de son pénis. Avec ma main droite, je continue à me masturber. Mon rêve s'arrête quand, dans mon imagination, je le vois éjaculer dans la cuvette pendant que je continue à le masturber rapidement. Voyez-vous, si vous me demandiez de faire ça dans la réalité, j'irais me cacher sous une table.»

Comme on peut le constater, les fantasmes de domination et d'abandon sont souvent les plus inoffensifs qu'on puisse rencontrer. Si le fantasme est souvent une notion de l'esprit qui nous permet, légalement, de voyager dans les méandres de l'illégalité (les hommes, par exemple, peuvent souvent avoir des fantasmes à contenu pédophile), il ne doit pas nécessairement être «marginal» pour être efficace. Il est surprenant de constater que les fantasmes féminins sont toujours assez simples, sauf qu'ils impliquent très souvent un autre homme que le conjoint régulier.

Il y a, par contre, des fantasmes qui font plus peur que d'autres. Les fantasmes impliquant le masochisme font partie de ce groupe. J'ai classé les fantasmes masochistes dans le même chapitre que ceux de la domination et de l'abandon parce qu'il y a une très grande part d'abandon et de domination (comme personnage dominé, évidemment) dans les relations masochistes. Les gens qui ne sont pas familiarisés avec le masochisme ne peuvent pas comprendre qu'on peut prendre plaisir à souffrir. Le masochisme consiste à prendre plaisir dans la douleur. Pourtant, plusieurs exemples dans la littérature érotique ou dans le cinéma nous décrivent le geste ultime du masochisme. Dans le film japonais *L'empire des sens,* l'homme qui fait l'amour avec sa partenaire lui demande de l'étrangler au moment précis de son orgasme. Il en mourra. Dans le film de Marco Ferreri, *La grande bouffe,* Michel Picoli meurt gavé, en mangeant, pendant qu'une fille le masturbe. Certaines techniques amoureuses tantriques consistent à cesser de respirer pendant l'orgasme, augmentant, dit-on, le plaisir. Le masochisme, plus terre à terre, prône une autre philosophie assez simple. Si nous voulons augmenter notre plaisir, il est bon de souffrir un peu avant. Les masochistes prennent donc un plaisir à se faire mal avant de se faire caresser. Les caresses, disent-ils, sont plus agréables et l'orgasme est plus imposant. Mais, doit-on être masochiste pour avoir des fantasmes de type maso? Ce n'est pas le cas de Diane.

(Diane C.:) «...Le hassard fait bien les choses. Un jour, quand j'avais 19 ans, j'ai fait l'amour avec un copain. Nous étions en camping et notre équipement était plus que précaire. D'ailleurs, je me souviens très bien d'avoir accepté cette fin de semaine de camping avec lui uniquement pour être loin de chez moi. Je vivais avec mes parents, et lui avec les siens, et nous ne savions jamais où faire l'amour. Nous étions pris dans l'automobile, la plupart du temps, et nous en avions assez tous les deux de cette situation. Toujours est-il que nous nous sommes retrouvés sur le terrain de camping avec une simple petite tente, des sacs de couchage et des couvertures pour ne pas avoir froid. Dès que la tente fut montée, nous nous sommes réfugiés à l'intérieur pour faire l'amour. Tout se déroulait très bien quand, lorsque mon copain a commencé à me pénétrer, en se couchant par-dessus moi, en prenant la position du mission-naire, je sentis un morceau de bois ou une roche me transpercer le dos. Chaque coup qu'il donnait me faisait mal au dos, mais, curieusement, j'en prenais un plaisir grandissant. Je me suis mise à fantasmer sur la douleur. Pendant qu'il me faisait l'amour, j'imaginais qu'il entrait une aiguille dans mon corps. J'ignore encore s'il y a un rapport entre cette douleur et mon plaisir, mais ce jour-là, j'ai atteint mon premier orgasme en faisant l'amour. Aupa-ravant, je jouissais uniquement en me masturbant.

Depuis ce jour, j'ai toujours eu des fantasmes masochistes. Je n'ai jamais voulu passer aux actes, je pense que j'ai peur de moi dans ce genre d'acti-vité sexuelle. Mon fantasme se passe toujours au même endroit. Je me retrouve dans un immense champ. Il fait chaud, il pleut à boire debout. Dans ce champ, il n'y a qu'un arbre, un vieil arbre sans feuille. Cinq hommes nus l'entourent. J'arrive, lentement et je me laisse attacher à cet arbre. Puis, avec une branche, des plumes, des brindilles, les hommes commencent à me chatouiller. Je suis attachée par les poignets et les chevilles. Je me laisse fouetter sans que la douleur ne m'atteigne. J'ai simplement l'image de plusieurs langues d'homme qui lèche mes blessures, qui me font jouir avec leur langue sans que je ne puisse bouger. Mais, je pousse mon fantasme encore plus loin quand je fais intervenir d'autres femmes. Les hommes m'abandonnent à mon arbre et, alors que j'ai un besoin urgent de me faire caresser, de jouir, de baiser avec eux, ils ne s'occupent plus de moi, ils me laissent regarder et entendre les cris de joie que tout le monde lance, sans même s'occuper de moi. Puis, ils quittent les lieux, me laissant seule à mon arbre. Je me demande bien pourquoi ce fantasme n'excite autant.»

(Viviane V.:) «J'ai déjà eu des expériences sado-masochistes avec mon premier mari. J'ai 43 ans et j'ai été mariée avec lui pendant 12 ans, de 24 à 36 ans. Nous avons eu, comme la majorité des couples, des hauts et des bas, mais, finalement, je l'ai laissé parce que notre vie sexuelle était complètement invivable. Il me trompait constamment, me disait et m'accusait d'être peu sexuelle et même frigide. Pourtant, nous avons tout tenté pour surmonter nos difficultés sexuelles. Je souffrais d'absence de désir. Après cinq ans de mariage, je n'avais plus aucun désir pour lui. Je croyais pourtant l'aimer comme une folle. C'est d'ailleurs en croyant l'aimer autant que je me suis livrée à tous ses fantasmes, des échanges de couples à l'amour à trois (toujours avec une autre femme évidemment) et aux relations sado-masochistes où je devais faire la victime. Il m'avait acheté un costume en cuir et des fouets. Je devais être son esclave. Il m'attachait solidement à une porte, les bras en l'air et les jambes écartées et il me fouettait, assez violemment d'ailleurs. Puis, il me léchait partout, me faisait l'amour oral et me péné-trait. Jamais de toute ma vie avec lui je ne l'avais vu jouir autant. Il était comme un enfant et il criait si fort en jouissant que j'avais peur de voir arriver la police à la maison. Il ne m'a jamais fait vraiment mal, mais j'avais terriblement peur qu'il perde la tête. Le jour où tu perds confiance dans ce genre de relation, tu ne peux plus avoir de plaisir.

Quand je me suis séparée, il y a sept ans, j'ai passé presque deux ans sans faire l'amour. Les pre-miers mois, ça ne me dérangeait pas, mais j'ai vite réalisé que j'avais besoin de sexe. Curieusement, tous mes fantasmes concernaient le masochisme. Tout ce que je me rappelais de mon mari, c'était quand il me fouettait et qu'il éjaculait comme un boeuf tellement il était excité. Je me suis mise à penser à des hommes. Je m'imaginais presque nue, la vulve et les seins ceintrés de cuir. Je me traînais par terre en demandant à mon amant de me fouetter. Il bandait bien fort. Je m'accrochais à son pénis et plus je m'accrochais, plus il me frappait en me disant de le lâcher. D'autres fois, je voyais toujours le même homme me pénétrer par derrière en me donnant une fessée, très légère, juste assez pour que mes fesses deviennent légèrement rouges. Je me suis toujours sentie coupable d'imaginer des choses semblables, d'autant plus que j'avais quitté mon mari parce qu'il ne pouvait plus faire l'amour d'une autre façon. Pour le faire bander, je devais me faire fouetter ou me faire donner la fessée. Il est même arrivé à la maison avec une prostituée qui devait me fouetter pendant qu'il nous regardait. Ce fut la fin. Mais son influence est plus grande que je ne l'aurais cru puisqu'il m'arrive encore quelquefois de rêver et d'avoir des fantasmes maso...»

Les fantasmes masochistes peuvent prendre leur source assez loin dans notre éducation. Une femme, Francine B., se souvenant de ses études, me raconte cette histoire:

(Francine B.:) «...Il y a quelques années, dans le cadre d'un cours d'histoire, j'ai lu un bouquin sur les pratiques sexuelles des Africains et des Africaines. Une femme africaine racontait que son amant lui faisait l'amour une dizaine de fois par nuit. J'avais beaucoup de difficulté à croire à cette histoire et je me disais que son mari devait avoir un joli problème d'éjaculation précoce. Mais, plus tard, j'apprenais, toujours dans le même livre, que les hommes de certaines tribus africaines prouvaient leur virilité en ayant le plus de relations sexuelles possibles dans une nuit avec la même personne. Je me suis mise à croire à cette histoire et je me suis mise à avoir des fantasmes masochistes avec tous les hommes que je rencontrais. Une femme qui peut faire bander un homme une dizaine de fois dans une nuit, qui peut, dès qu'il a terminé, se mettre à le sucer, à le caresser, à l'exciter encore une fois, est une masochiste de la pire espèce parce que c'est impossible. Pourtant, c'est mon fantasme le plus violent. Même quand je fais l'amour pour vrai, je tente toujours d'exciter mon amant dès qu'il a fini. C'est même devenu un peu distrayant puisque j'oublie de jouir en pensant qu'il doit éjaculer immédiatement pour qu'on puisse recommencer tout de suite après. Évidemment, le gars est fatigué, il ne bande plus, à moins d'attendre une heure ou deux et je m'endors sur ma faim...»

Comme on peut le voir, le masochisme peut prendre des tangentes très différentes d'une femme à l'autre. Il y a, comme dernier exemple, les fantasmes de soumission qui se rapprochent des fantasmes de masochisme et de domination, mais qui s'en distinguent par une notion très particulière: l'obéissance. Il suffit de parler à quelques femmes qui ont connu le pensionnat dans leur jeunesse et qui ont vécu la soumission en étant éduquées par des religieuses. Il y a plus de 20 ans, les notions d'obéissance et de soumission étaient beaucoup plus présentes dans la vie de toutes les femmes qu'aujourd'hui. Curieusement, du moins dans les témoignages recueillis, les fantasmes de soumission sont vécus plus fréquemment par les femmes nées avant 1950. Il semble bien que les plus jeunes femmes n'aient pas vécu l'obligation d'obéir et de se soumettre à l'autorité religieuse, très exigeante à une certaine époque. C'est le cas de Nicole V., une femme de 52 ans.

(Nicole V.:) «...Je suis née à une bien mauvaise époque, soit juste avant l'époque de la révolution sexuelle et religieuse. Je suis donc née en 1942 et j'ai été pensionnaire chez les soeurs pendant quatre ans. J'ai vécu mes premières expériences sexuelles avec une petite amie quand j'avais 15 ans, une expérience de masturbation mutuelle, mais nous nous sentions tellement coupables que nous n'avons plus jamais recommencé. J'ai aussi été victime de l'amour d'une religieuse, mais, pour être honnête, je dois dire que cette religieuse n'a pas été vache avec moi. Elle m'a avoué son amour, elle a tenté de me toucher, mais devant mon refus, elle ne m'a jamais plus importunée.

Adolescente, je me souviens d'avoir eu des fantasmes très culpabilisants. J'en avais beaucoup avec les filles que je trouvais belles, mais ceux qui me dérangeaient le plus, c'était ceux qui impliquaient des hommes. J'étais toujours, en pensée, avec des hommes qui me faisaient toutes sortes de choses qui auraient fait rougir le plus dégourdi. Le fantasme qui me revenait le plus souvent concernait les gars du collège qui se trouvait en face de mon pensionnat. Il s'agissait d'un collège de garçons beaucoup plus vieux que moi. Quand je regardais dehors et que je les voyais, j'imaginais que trois ou quatre d'entre eux m'amenaient dans un coin désert. Là, ils m'obligeaient à obéir en me disant de relever ma jupe, de baisser ma petite culotte, de leur montrer mes fesses. J'étais quand même assez jeune, j'avais 16 ans, ils en avaient 18 ou 20 et j'ignorais à cette époque comment les hommes faisaient vraiment l'amour. Mais de savoir que je les excitais me faisait un effet terrible, encore plus fort que le jour où ma copine m'avait caressée. Certains jours, encore en regardant dehors, je m'imaginais que le même gang de gars m'invitait toujours au même endroit et me demandait, cette fois, de faire l'amour devant eux avec ma copine. Plus je refusais, plus ils m'obligeaient à le faire et plus je me trémoussais sur ma chaise. Je crois que, depuis cette époque, mes fantasmes les plus excitants sont empreints de cette soumission. Plus je ne veux pas faire un geste, plus je m'excite en imaginant qu'on m'oblige à le faire...»

Chapitre 5

Voyeurisme, sadisme

Nous avons vu dans le chapitre précédent quelles formes prennent les fantasmes des femmes qui sont excitées par l'idée d'être dominées. Nous allons maintenant voir comment ça se passe quand, à l'inverse, les femmes sont stimulées par des envies d'imposer leur volonté aux hommes.

Il est vrai que les études tendent à démontrer que cette tendance est moins fréquente chez les femmes, seulement 3 % ayant indiqué qu'elles ont des fantasmes dans lesquels elles obligent leur partenaire à avoir des relations sexuelles. Mais comme on va le voir, les femmes inventent des moyens bien plus subtils pour arriver à leurs fins. Souvent, elles imaginent des situations où elles sont en position d'imposer leur volonté sans user de force. Dans le premier exemple que je vous propose, Doris P. exerce une forme de chantage pour obtenir ce qu'elle veut.

(Doris P.:) «...depuis plusieurs années, je m'implique au sein du mouvement féministe. Je ne suis pas ce qu'on pourrait appeler une féministe radicale, du genre qui mène une guerre à finir au sexe masculin. Je suis mariée et mère de deux enfants, j'adore mon mari et notre vie sexuelle fonctionne à merveille. Mais tout ça ne m'empêche pas de penser que les hommes se servent trop souvent de la sexualité pour dominer les femmes et il m'arrive de rêver à des situations où ce serait à leur tour d'être soumis à des impératifs de séduction sexuelle. J'ai parfois des fantasmes assez précis à ce sujet. Le plus souvent, je suis la directrice d'un magazine de mode très prestigieux. Chaque mois, il faut organiser des séances de photographie avec des mannequins et je me garde la prérogative d'engager les modèles masculins. Je réduis généralement la sélection à deux ou trois des plus beaux spécimens qui me sont proposés et je les convoque à mon bureau pour une entrevue. Je m'assois sur un grand divan et je leur demande de déambuler devant moi. Ils doivent m'obéir à la lettre. Je les fais se dévêtir et adopter les poses les plus suggestives. Quand ils comprennent où je veux en venir, certains sont offusqués et refusent de se prêter à mes exigences. Mais ceux qui veulent vraiment obtenir un contrat se plient volontiers à mes quatre volontés. Je leur ordonne d'exhiber leur sexe, de se caresser, de se masturber. Mais ils ne doivent jamais éjaculer. De mon côté, je leur donne matière à s'exciter. Je porte des tenues provocantes, qui dévoilent bien les charmes de mon anatomie. Pendant qu'ils se donnent en spectacle, je commence à me masser le clitoris avec les doigts. Et quand je suis bien réchauffée, je leur demande de prendre la relève avec leur langue. Ceux qui sucent le mieux et qui m'amènent rapidement à l'orgasme sont engagés. Ils sont récompensés professionnellement, mais jamais sexuellement: il leur est strictement défendu d'éjaculer en ma présence. C'est la clé de mon fantasme: ces hommes sont obligés de me donner du plaisir sexuel, mais ils ne peuvent pas en prendre. Lorsque l'entrevue est terminée, certains ont de la difficulté à rentrer dans leur pantalon tellement leur pénis est gonflé. Je suis sûre qu'en sortant de mon bureau, ils doivent se précipiter dans les toilettes les plus proches et se soulager manuellement...»

Pour les femmes qui aiment exercer une domination sur les hommes dans leurs fantasmes, l'histoire et la mythologie fournissent de nombreux modèles de femmes dont le nom est associé à l'idée même qu'on se fait du pouvoir. Il suffit d'entrer dans la peau de ces personnages légendaires, comme le fait Roxanne M., pour se voir investi de tous les pouvoirs imaginables.

(Roxanne M.:) «...quand j'ai des fantasmes, je me vois souvent réincarnée en personnage célèbre de l'histoire. Je suis une reine toute-puissante, comme

Cléopâtre par exemple, et tous les hommes de mon royaume sont mes loyaux sujets. Ils me doivent obéissance en toute chose. Quand mes armées reviennent de guerre avec des prisonniers, j'organise des soirées au cours desquelles ces prisonniers sont soumis à des épreuves sexuelles. Ils doivent réaliser toutes sortes de prouesses, comme baiser avec le plus grand nombre de femmes sans éjaculer, ou encore éjaculer le plus grand nombre de fois dans un court laps de temps. Les meilleurs passent ensuite dans mon lit. S'ils arrivent à me satisfaire, ils ont la vie sauve. Sinon, ils sont jetés aux lions. Mon appétit sexuel est à la mesure de ma puissance. Les membres de ma garde personnelle sont choisis en fonction de la dimension de leur organe viril et ils doivent se soumettre à tous mes caprices. Mes ministres sont tous mes amants, je baise avec qui je veux, quand je veux. Un autre personnage que je trouve fascinant, c'est Schéhérazade. Ils devaient être drôlement épicés, ses Contes des mille et une nuits, pour que le roi lui laisse la vie sauve, chaque nuit jusqu'au lendemain matin, afin d'en entendre la suite. Dans mes fantasmes à moi, Schéhérazade fait plus que raconter des contes, bien sûr. Au lieu d'inventer une nouvelle histoire chaque nuit, elle invente un nouveau jeu sexuel. Mais elle sait aussi que le méchant roi veut la faire égorger au petit matin. Alors, elle s'arrête toujours juste au moment où le roi est sur le point de jouir. Et comme elle lui promet de lui faire des trucs plus excitants encore le lendemain, il lui laisse la vie sauve. Évidemment, avec un régime comme celui-là, un roi ne résisterait pas bien longtemps: il en crèverait bien avant la millième nuit. Il m'est arrivé de fantasmer sur d'autres personnages célèbres, comme Lucrèce Borgia qui couchait avec son père le Pape. Mais mes deux préférées sont Cléopâtre et Schéhérazade...»

Chez la femme, la plupart des fantasmes de domination sexuelle sont exempts de violence. Le sadisme, en effet, est beaucoup plus présent dans l'imaginaire sexuel masculin. Ce qui ne veut pas dire que le sadisme au féminin n'existe pas. Bien qu'il s'agisse d'un phénomène marginal, on ne doit pas l'ignorer pour autant. Au même titre que le fantasme du dominé, le fantasme à composante sadique a son utilité, sa raison d'être. Il permet une sorte de défoulement, qui peut prendre les formes les plus cruelles, sans s'exposer pour autant à des représailles. Si j'en crois le témoignage de Marie-Claude G., ce genre de fantasme a un effet libérateur d'une valeur inestimable.

(Marie-Claude G.:) «...quand j'étais jeune, mon personnage de film préféré était Ilsa, la louve des SS. Vous l'aurez deviné, je suis une sadique. J'adore voir les gens souffrir — surtout les hommes. Je n'aime pas beaucoup en parler, car les gens pensent que je suis une personne déviante, que j'ai quelque chose de détraqué dans le ciboulot. C'est tout le contraire: je suis la personne la plus inoffensive du monde. C'est vrai que je prends plaisir à lire des livres ou des articles sur les tortures infligées aux prisonniers politiques en Amérique latine ou aux ennemis de l'Église à l'époque de l'Inquisition. Mais jamais il ne me viendrait à l'esprit de causer la moindre douleur à une personne de mon entourage. Il faudrait vraiment que la personne insiste et une telle situation ne s'est jamais présentée. De toute façon, ça me suffit amplement d'y songer. Comme je l'ai dit plus tôt, mon fantasme c'est d'être la directrice d'un camp de prisonniers. Je serais la plus impitoyable des tortionnaires. Mon épreuve favorite consiste à faire déshabiller les prisonniers et à les mettre debout devant un fil électrique qui passe à quelques centimètres au-dessus de leur pénis. Des gardiennes s'évertuent à les émoustiller en effectuant les plus affriolants strip-teases devant eux. Ces hommes n'ont pas eu de relations sexuelles depuis des mois, il est très difficile pour eux de contenir leur excitation. La plupart succombent à une érection électrisante. J'aime bien aussi faire éclater les vessies. Il s'agit de faire boire les détenus et de leur interdire de pisser. Quant à ceux qui tentent de s'évader, ils ont intérêt à ne pas se faire prendre, car ils sont aussitôt castrés et leur membre viril vient enrichir ma collection de pénis. Heureusement que mes partenaires sexuels ignorent tout de mes pensées secrètes, ils seraient bien terrorisés. Je dois toutefois reconnaître que les hommes ne m'ont jamais apporté de grandes satisfactions au lit et que mes rêves sadiques me stimulent cent fois davantage. D'ailleurs, c'est toujours à ça que je pense quand j'ai des relations sexuelles...»

Comme on vient de le voir dans les deux fantasmes précédents, il y a toujours moyen d'imaginer des mises en scène où une femme est en situation d'autorité. Mais il reste que ce sont des exemples assez fantaisistes, qui conviennent moins aux femmes qui ont l'esprit pratique et le fantasme plus terre à terre. En effet, pour bien des gens, autant les hommes que les femmes, un fantasme sexuel ne peut remplir sa fonction que s'il colle à la réalité. C'est ce que j'appelle la «réalisabilité» d'un fantasme.

Depuis le début de ce livre, nous avons regroupé les fantasmes par catégories et les avons abordés par ordre décroissant de «réalisabilité». Il est en effet plus plausible de faire l'amour sur une plage avec un bel inconnu que de le faire sur une scène avec tout un groupe de musiciens. De la même façon, il est est moins dangereux de séduire deux policiers que d'être séduite par toute une équipe de hockey.

À l'intérieur de chaque thème (tendresse, séduction, jeux interdits, etc.), les femmes peuvent imaginer une variété infinie de fantasmes, allant du plus réalisable au moins réalisable. Sur le thème de la domination, la réincarnation en Cléopâtre ou Schéhérazade appartient de toute évidence à la seconde catégorie. Ce genre de fantasme ne conviendrait pas à une femme qui a besoin que ses fantasmes aient une emprise quelconque sur la réalité. Elle cherchera plutôt à exprimer son penchant pour la domination dans des jeux plus à sa portée immédiate, comme la séduction de jeunes garçons par exemple. Comme l'indiquent les témoignages de Sarah B. et de Josianne T., on n'a pas besoin de voyager dans le temps ou dans l'espace pour s'inventer des fantasmes très agréables.

(Sarah B.:) «...entre la fin de mes études et la naissance de mon premier enfant, j'ai travaillé quelques années comme professeure au secondaire. J'ai eu quatre enfants en tout et je ne suis jamais retournée à l'enseignement. Au fond, c'est probablement la meilleure chose qui ait pu m'arriver, car j'ai découvert que j'avais un faible pour les jeunes garçons. Chaque année, il y en avait un dans ma classe qui me donnait des idées pas très catholiques. J'ai toujours su résister à la tentation, mais j'ai peur que si j'y retournais aujourd'hui, je pourrais succomber. Mon fantasme, évidemment, c'est d'initier un jeune aux relations sexuelles. Quand on est devant un groupe d'adolescents pendant plusieurs heures par semaine, c'est facile de repérer ceux qui vous regardent avec convoitise. Ils ont toujours les yeux dans votre blouse ou sous votre jupe. Dans mes rêves, je leur en mets plein la vue. Je ne porte aucun sous-vêtement et je me présente en classe avec des petites chemises de soie transparente. Lorsque je m'assois sur la tribune devant eux, j'écarte juste assez les jambes pour qu'ils voient ma vulve soigneusement rasée. Quand je m'approche d'un élève pour surveiller son travail, je me penche sur son bureau de façon à ce qu'il ait le nez dans mes nichons et que le reste de la classe puisse contempler le galbe de mes cuisses. Vers la fin de l'année scolaire, je choisis ma victime. Idéalement, il est âgé de 14 ou 15 ans et n'est pas trop entreprenant avec les filles. Il en a envie, mais il est trop gêné pour passer à l'action. Alors je m'en charge. Je le convie à mon bureau pour discuter de ses difficultés dans telle ou telle matière. La discussion ne s'éternise pas longtemps sur ce sujet. Je le fais rougir en lui disant que j'ai remarqué la façon qu'il a de me regarder en classe. Je lui dis que c'est très normal à son âge de s'intéresser à ces choses-là. Puis je lui demande s'il a déjà embrassé une fille, s'il se masturbe, s'il a déjà eu des relations sexuelles. Si mon intuition est fondée et qu'il est ignorant de toutes ces choses, je lui propose les services d'un professeur expérimenté en la matière, en l'occurrence, moi. À voir la bosse qu'il y a dans son pantalon, c'est une offre qu'il ne peut pas refuser. Je lui dis de s'étendre sur mon bureau et je lui fais la première pipe de sa vie. Je lui enseigne ensuite tout ce qu'un bon amant doit savoir. Quand j'ai terminé avec lui, l'enfant est devenu un homme. Vous comprendrez qu'avec ce genre de fantasme, il est préférable que je ne retourne pas dans le domaine de l'enseignement, du moins pas au niveau secondaire. Je dois aussi reconnaître qu'il m'arrive de fanstasmer sur les petits copains de mon fils aîné (il a 13 ans).

(Josianne T.:) «...j'ai un faible pour les adolescents et ils sont souvent les héros de mes fantasmes. J'imagine souvent des situations où j'ai la possibilité de séduire et de débaucher des jeunes garçons. Disons que je suis prof de théâtre dans une polyvalente. Ou mieux encore, je donne des cours privés. Dans un cas comme dans l'autre, je fais répéter des scènes d'amour et c'est moi qui donne la réplique à mon élève. Je me tiens proche de lui et me fais aussi désirable que possible pendant qu'il me fait la cour dans la peau de son personnage. Je lui fais recommencer ses tirades amoureuses, exige qu'il y mette plus de conviction. Puis je lui montre comment jouer la scène du baiser final. Je me laisse embrasser timidement au début et je le gronde pour son manque de passion. Nous reprenons la scène et cette fois, je passe les bras autour de son cou et je l'attire contre ma poitrine. Comme il m'embrasse, j'ouvre la bouche et nos langues se rencontrent dans un long baiser humide et torride. Nos corps sont enlacés et je sens son pénis bien dur contre mon ventre. Tout en continuant de l'embrasser, je défais sa braguette d'une main adroite. Sitôt son pantalon baissé, je tombe à genoux et je prends son pénis dans ma bouche. Je le suce pendant de longues minutes, puis je le fais coucher sur un divan et lui intime l'ordre de se laisser faire. Je monte par-dessus lui et lui fais l'amour doucement, langoureusement, délicieusement. Pour éviter qu'il éjacule au bout de trente secondes, je n'accélère jamais la cadence. Une fois que je me suis bien contentée, je redescends et je l'initie aux délices de l'amour oral. Je passe ma langue sur ses testicules et sur toute la longueur de son pénis, je le laisse pénétrer jusqu'au fond de ma gorge. Je l'amène progressivement jusqu'à l'extase finale et j'avale jusqu'à la dernière goutte le fruit de sa première éjaculation dans la bouche d'une femme...»

Dans un chapitre précédent, nous avons mentionné les études qui révèlent que les fantasmes sexuels des femmes comportent souvent une composante exhibitionniste, que nous avons associée à un désir de séduction. Or les mêmes études démontrent que l'inverse est aussi vrai et que le voyeurisme, quoique beaucoup plus présent dans les fantasmes sexuels des hommes, est un thème qui revient régulièrement dans l'imaginaire sexuel de la femme. J'ai retenu deux exemples de fantasmes à composante voyeuriste. Le premier, celui d'Elizabeth K., est passif, tandis que le second, celui de Christine L., est actif.

(Elizabeth K.:) «...j'ai découvert, il n'y a pas si longtemps, que j'avais une inclination naturelle au voyeurisme. J'ai toujours cru que seuls les hommes étaient voyeurs, mais il semble que c'est un passe-temps qui ne fait pas de discrimination de genre ou de sexe. Tout a commencé lors d'un voyage au bord de la mer avec une copine. Nous avions installé notre tente dans un terrain de camping et nous passions nos journées sur la plage. Un soir, nous sommes allées dans une discothèque et nous avons rencontré un groupe de jeunes Américains. L'un d'eux plaisait beaucoup à ma copine et elle m'a demandé si j'avais objection à ce qu'il dorme avec nous. Voyant que ça me gênait un peu, elle m'a promis qu'il ne se passerait rien entre elle et lui. Alors j'ai accepté. Mais la nature humaine étant ce qu'elle est, ses chastes résolutions n'ont pas résisté longtemps. Ça ne faisait pas quinze minutes que nous étions couchés que je les entendais remuer dans leur sac de couchage. Sur le coup, j'étais un peu fâchée, mais je n'ai rien dit. Puis ma copine s'est mise à gémir et ma colère s'est dissipée, faisant place à la curiosité. Dans l'obscurité de la tente, je ne pouvais pas bien distinguer leurs corps. Mais au son, je pouvais parfaitement deviner ce qu'ils faisaient. Et ça m'intéressait de plus en plus. Tout en faisant semblant de dormir, je me masturbais fébrilement. Plus le mec accélérait le rythme, plus ma copine miaulait. Et plus ma copine miaulait, plus je jouissais. Quand ils eurent terminé, j'étais aussi essoufflée qu'eux. Et je suis certaine que j'ai joui autant qu'eux. Le lendemain, j'ai raconté ça à ma copine et elle a bien ri. Elle m'a dit qu'elle serait prête à recommencer, si le gars était d'accord, et sans se cacher sous les couvertures cette fois. Le gars n'a jamais voulu. Mais d'autres occasions se sont présentées depuis. J'ai rencontré un garçon qui a l'esprit très ouvert pour tout ce qui touche la sexualité. Je lui ai parlé de mes tendances au voyeurisme et il m'a rassurée. Il m'a dit qu'il n'y avait rien d'anormal là-dedans et il m'a présenté à des amis à lui qui organisent régulièrement des parties pour adultes «libérés». Dans ces soirées, les convives font l'amour librement entre eux, en couples ou en groupes, et on est libre de regarder ou de participer. J'y suis allée à deux ou trois reprises et je me suis bien rincé l'œil. J'ai aussi pris goût au visionnement de films porno. Comme je suis trop gênée pour les louer moi-même, mon ami va les chercher pour moi. Il y a une chose que je n'ai encore jamais fait, et c'est un peu ça mon fantasme: ce serait de réaliser mon propre film porno. C'est-à-dire que c'est moi qui écrirais le scénario (il est déjà tout pensé dans ma tête), qui choisirais les décors, la musique et les costumes, qui ferais le montage final. Mais surtout, c'est moi qui dirigerais les acteurs. Je ne sais pas si j'aurai la chance de réaliser ce rêve un jour, mais je suis certaine que ce serait un *kick* terrible...»

(Christine L.:) «...mon mari est très amateur de films porno. Il m'est arrivé quelquefois d'en regarder avec lui et je dois avouer que ça me fait drôlement de l'effet. Je deviens tellement excitée que nous ne nous rendons jamais jusqu'au bout du film. De voir ces acteurs et ces actrices faire l'amour de toutes les façons, ça me donne envie de les imiter. Ce n'est pas toujours possible de faire comme eux, car certains sont de vrais athlètes de la baise. Il faut afficher une forme physique remarquable pour adopter certaines positions qu'on voit dans les films. Les scènes qui m'excitent le plus, ce sont celles où on voit une actrice baiser avec deux ou trois types en même temps. Je dois avoir un petit côté nymphomane qui s'ignore, même si je n'ai jamais essayé ces choses-là. Il m'arrive d'imaginer que je suis une de ces actrices. Mais ce qui serait encore plus marrant, ce serait d'être une productrice. Pour chaque nouveau film, c'est moi qui engagerais les acteurs. Évidemment, je ferais passer des auditions où ils auraient à exhiber leur savoir-faire sur ma personne. Comme ils voudraient avoir le rôle, ils se surpasseraient pour m'impressionner. Il me semble que ce serait bien amusant...»

Chapitre 6

Briser les barrières

Pour terminer cet exposé, j'ai regroupé dans un dernier chapitre des fantasmes sexuels assez disparates, mais qui ont pour dénominateur commun de faire fi de toutes les barrières. Ici, on saute la clôture pour avoir des relations sexuelles avec des personnes du même sexe, des animaux, des anges ou — pourquoi pas — l'univers entier.

Commençons par le plus fréquent de ce groupe: le fantasme homosexuel. On estime qu'environ une femme sur dix (11 %) est excitée par des fantasmes dans lesquels elle a des relations sexuelles avec une ou plusieurs femmes. Certaines finissent par passer à l'action. Mais d'autres, comme Béatrice P., Dorothée A. et Lise D., se contentent d'en rêver. Du moins, pour le moment...

(Béatrice P.:) «...je n'ai jamais eu de relations sexuelles avec une autre femme, mais je crois que ça me plairait bien. Ce n'est pas que j'aie un problème avec les hommes. De ce côté-là, ça va très bien. Je fréquente le même copain depuis plusieurs années et notre vie sexuelle est tout ce qu'il y a de plus normal. Mais il me semble que les femmes sont tellement plus douces, plus sensuelles. Parfois, quand nous allons dans des soirées, je lorgne les plus belles femmes en secret. Je les déshabille du regard, j'essaie de deviner leurs odeurs intimes, leur manière d'embrasser, de jouir, etc. Même si j'ai un corps qui fait l'envie de bien des hommes, mes seins ne sont pas très développés. C'est peut-être pour cette raison que je suis plus attirée par les femmes qui ont une forte poitrine. Je rêve d'enfouir mon visage entre leurs seins, de les prendre dans ma bouche, de les sentir sur ma peau. J'ai aussi un faible pour les femmes au teint foncé, les mulâtres en particulier. Une fois, j'en ai vu une qui était tellement belle que j'en ai perdu tous mes moyens. Il faudra bien un jour que je me laisse initier aux joies de l'amour homosexuel...»

(Dorothée A.:) «...quand je fais l'amour avec un homme et qu'il est plutôt ordinaire comme amant, j'ai recours à mon imagination pour me stimuler un peu. Et le plus souvent, je remplace ce piètre amant par une femme. Ce n'est pas une femme que je connais, il n'y a pas de visage précis associé à cette amante imaginaire. Mais Dieu qu'elle sait comment s'y prendre avec une femme. Je sens sa langue qui bouscule gentiment mon clitoris, qui lèche mes lèvres, qui fouille au fond de mon vagin. Puis elle enfile un godemiché et me fait l'amour parfaitement, avec un savant dosage de violence et de tendresse. Elle me fait jouir encore et encore, c'est une déesse de l'amour...»

(Lise D.:) «...je n'ai jamais eu de relations sexuelles avec une autre femme, mais j'en rêve souvent. Je sens que plus je vais attendre pour tenter cette expérience, plus mes fantasmes à ce sujet vont devenir élaborés. Pour le moment, j'en suis rendue au fantasme «initiatique». J'imagine qu'une copine m'a entraînée dans une espèce de secte secrète regroupant des femmes homosexuelles. Ces femmes n'ont rien des vulgaires lesbiennes à l'allure masculine... celles qu'on appelle des *butch*. Au contraire, ce sont de très belles femmes, toutes vêtues de tenues aguichantes. Elles sont une dizaine en tout. Elles sont réunies dans une salle qui ressemble à une petite chapelle, éclairée par des chandeliers et remplie d'une brume diaphane. Au milieu de cette salle, il y a un grand lit à baldaquins. Je suis étendue sur le dos, les poignets et les chevilles attachées aux montants du lit. On me fait boire un filtre magique, tout se passe comme au ralenti. Les femmes s'approchent du lit et se mettent à me caresser et à m'embrasser partout. Je sens une vingtaine de mains qui pétrissent délicieusement mon corps et une dizaine de langues chaudes et humides qui explorent mes zones érogènes et s'aventurent dans tous mes orifices. Je suis litt-téralement transportée de plaisir, enveloppée dans un nuage de volupté. Les orgasmes se succèdent à un rythme dément, mon corps est agité de tremble-ments. Ensuite, c'est à mon tour de les satisfaire. On me détache et je m'agenouille au pied du lit. Une première disciple s'allonge sur le lit et me présente sa vulve. Je déguste ce mets exquis, j'ai comme un goût de miel sur la langue. Une deux-ième lui succède bientôt, puis une troisième... et ainsi de suite, jusqu'à ce que je les ai toutes fait jouir. Alors seulement, je suis admise dans leur secte...»

Depuis quelques années, la société en général fait preuve d'une grande tolérance au sujet de l'homosexua-lité (même si les homosexuels sont encore trop sou-vent rejetés). Il en va tout autrement pour d'autres pra-tiques sexuelles comme le fétichisme, la bestialité et la nécrophilie. Il faut dire que ces pratiques, considérées comme des perversions, sont très rares. D'ailleurs, en ce qui concerne la bestialité, aucune femme ne m'a jamais raconté un fantasme où elle se voit faire l'amour avec un animal.

Je sais, par contre, que pour la plupart des gens, il s'agit là de perversions sexuelles dégoûtantes, du moins en ce qui concerne la nécrophilie. Mais il n'en demeure pas moins que certaines femmes sont stimu-lées par l'évocation de telles images. Si vous en doutez, vous n'avez qu'à observer les gens autour de vous la prochaine fois que vous irez voir un film de vampires. N'oubliez pas que les fantasmes s'alimentent uniquement de sensations agréables. Et qu'au fond, il est bien plus inoffensif de rêver qu'on fait l'amour avec un fantôme qu'avec un voisin. Avec le fantôme, au moins, on est certain que ça n'arrivera jamais.

Bien sûr, un cadavre, c'est plus répugnant que l'idée qu'on se fait généralement d'un fantôme. Mais là n'est pas la question. L'important, c'est que les femmes qui ont ce genre de fantasmes ne développent pas un sentiment de culpabilité. C'est pourquoi j'ai choisi de vous livrer les deux témoignages suivants, ceux d'Anne-Louise R. et de Nancy F. Je tiens à souligner que Anne-Louise et Nancy sont deux femmes très équilibrées, qui ont tourné à leur avantage un penchant pervers en le confinant aux limites de leur imagination. Il faut aussi remarquer que le fantasme d'Anne-Louise est beaucoup plus fréquent que celui de Nancy qui est, il faut le dire, très particulier et marginal.

(Anne-Louise R.:) «...j'ai toujours su que les hommes avaient des fantasmes en voyant des sous-vêtements féminins, jamais je n'aurais cru qu'un fantasme semblable pouvait m'exciter. Adolescente, une amie m'avait raconté qu'un de ses cousins étaient en thérapie parce qu'il avait une fixation aux souliers de femmes. Petit, ce cousin, en jouant au

111

baseball, était allé chercher la balle sous un buisson. En se frottant par terre, il avait eu une érection et, au même moment, il aperçut les jambes d'une femme qui marchait dans la rue, de belles jambes montées sur des souliers à talons hauts. Depuis ce temps, le cousin ne pouvait plus avoir d'érection à moins de faire l'amour avec une femme qui l'excitait avec ses souliers. Nous nous amusions beaucoup en racontant cette histoire. Vers l'âge de 22 ans, je me suis retrouvée, avec mon ami de l'époque, dans une mercerie pour hommes et, pendant qu'il essayait un pantalon, j'ai vu un très bel homme essayer plusieurs paires de jeans. La porte de sa cabine d'essayage était entrouverte et je pouvais bien voir son dos, ses fesses et surtout son caleçon. Quand il enlevait une paire de jeans un peu trop serrée pour en essayer une autre, son sous-vêtement baissait et je pouvais voir ses fesses, la craque bien poilue et profonde qui accentuait la rondeur de ses deux belles demi-lunes. J'étais dans tous mes états, j'avais la vulve complètement trempée et je n'avais qu'une idée en tête: jouir. Je ne sais pas, par la suite, ce qui s'est passé dans ma tête. Je suis entré chez moi, j'ai fait l'amour avec mon ami, mais ce n'est pas ce dont j'avais besoin. Quand il est parti, je suis allé m'acheter des sous-vêtements pour hommes et, une fois revenue à la maison, je me suis déshabillée, je me suis couchée dans mon lit et je me suis masturbée en frottant ce caleçon sur toutes les parties de mon corps en pensant au beau gars qui s'était montré à moi quelques heures auparavant. La sensation du sous-vêtement entre mes jambes, entre mes fesses, sur mes seins et l'image mentale que je me faisais du gars dans la cabine d'essayage me rendait folle de plaisir. Il m'arrive encore de me masturber de cette façon, je m'imagine même aller dans les départements de vêtements pour hommes afin de surprendre un beau mâle qui m'excitera. Je reviens vite à la réalité, je ris un peu de moi et j'oublie ça. Il m'arrive cependant très souvent de demander à mon amant de garder son sous-vêtement en faisant l'amour. Ça m'excite...»

(Linda F.:) «...ça fait longtemps que je raffole des films de vampires. Plus ils sont terrifiants, plus j'aime ça. Depuis que j'ai commencé à avoir des relations sexuelles avec les garçons, mon endroit préféré pour faire l'amour, c'est dans un cimetière. C'est complètement débile les idées qui me passent par la tête quand je fais l'amour dans un cimetière. Je m'imagine que les morts qui sont enterrés là se réveillent et sortent de leurs tombes. Je vous épargne la description physique de ces revenants, ils sont dégueulasses! Ils s'approchent et forment un cercle autour de nous. Deux d'entre eux bousculent mon copain et lui font signe de déguerpir. Puis ils me prennent et me jettent au fond d'une fosse large et profonde. Quatre ou cinq d'entre eux y descendent avec moi pour me violer, pendant que les autres prennent des pelles et commencent à remplir la fosse. Ces images m'excitent tellement que mon copain est obligé de me mettre une main sur la bouche pour m'empêcher de crier. Ça me donne des orgasmes hallucinants...»

Il est difficile d'expliquer ce qu'une femme peut trouver d'excitant dans un tel cauchemar. Mais cela illustre bien le fait qu'un fantasme n'a pas besoin d'être connecté en aucune façon à la réalité. Si vous en doutez encore, voici un exemple qui est plus farfelu que tous ceux que nous avons vus depuis le début.

(Vanessa T.:) «...mon fantasme préféré va peut-être vous paraître stupide, mais je vous jure qu'il me fait autant d'effet que tous les autres que j'ai déjà entretenus. Je rêve que je me fais enlever par des extra-terrestres. Ils m'enlèvent dans leur vaisseau spatial et m'emmènent sur leur planète. Ces créatures ont les formes les plus bizarres et les pratiques sexuelles les plus fantaisistes. Par exemple, ils ont une langue au bout du pénis et ils me lèchent l'intérieur du vagin pendant qu'ils me prennent. Sur une autre planète, ils n'ont jamais vu une femme de leur vie et je deviens un objet d'adoration. Ils font de moi leur reine, mais je dois faire l'amour avec chacun d'eux pour leur exprimer ma gratitude. Ailleurs encore, je suis transformée en sorcière et renvoyée sur terre. J'ai l'imagination si fertile que je devrais peut-être songer à écrire des histoires de science-fiction. En tout cas, avec mes amis extraterrestres, je ne m'ennuie jamais...»

Comme vous le voyez, il n'y a aucune limite à ce qu'une femme peut inventer pour obtenir une stimulation additionnelle. Plus son imagination est fertile, plus il lui sera possible d'explorer des univers fantaisistes et d'expérimenter des sensations inédites. Viviane N. et Diane S., ont poussé leur démarche fantasmatique jusqu'à franchir la barrière des sexes, bien que pour des motivations diamétralement opposées. La première le fait pour se libérer de sa frustration envers les hommes, tandis que la seconde cède à une certaine envie de la sexualité au masculin.

(Viviane N.) «...je suis ce qu'on appelle communément une «lesbienne», même si c'est un terme que je déteste. Mais je n'aime guère plus le terme «homosexuelle», car il contient le mot «homme» et je ne veux en aucune façon être associée à ce sexe. Mon dégoût des hommes remonte à ma tendre enfance, qui fut marquée par des problèmes d'inceste et d'agression sexuelle. Je conviens que je ne suis pas très représentative du genre féminin dans son ensemble, mais ça ne m'empêche pas de penser que mes fantasmes peuvent être partagés par d'autres femmes qui ne sont pas nécessairement lesbiennes. Peut-être aussi qu'ils peuvent servir d'inspiration pour certaines. En tout cas, pour moi, je crois qu'ils sont essentiels à mon équilibre psychologique. J'ai une relation exclusive avec Louise (nom fictif) depuis quatre ans. Je l'adore et je crois bien que c'est réciproque. C'est une femme superbe, belle et intelligente, en plus d'une amante exceptionnelle. Lorsque nous faisons l'amour, nous utilisons un godemiché relié à une ceinture qu'une de nous deux s'attache autour de la taille. Je dois reconnaître que je prends beaucoup plus de plaisir à utiliser cet instrument qu'à le recevoir en moi, même si la sensation n'est pas désagérable en soi. Mais que je donne ou que je reçoive, j'ai toujours besoin de fantasmer pour atteindre l'orgasme. Quand j'ai le godemiché attaché à la taille et que je fais l'amour à Louise, je m'imagine que je suis en train de violer un homme. Plus je me le représente gros et fort, plus c'est une brute, plus ça m'excite. Mon préféré, c'est un motard. Un gros motard sale et poilu, tatoué des pieds à la tête, attaché sur sa moto avec des chaînes. Je lui montre le godemiché monstrueux que je vais lui planter dans l'anus. Il écarquille les yeux de terreur, il m'implore de l'épargner. Mais plus il supplie, plus il attise ma colère. Je suis d'une vulgarité inqualifiable. Je le traite d'enfant de chienne, de gros porc et d'autres noms que je n'oserais même pas répéter. Je lui dis qu'il va payer pour tout ce que ses semblables ont fait subir aux femmes et que je vais lui faire regretter le jour où sa putain de mère l'a mis au monde. Puis je m'installe à califourchon derrière lui, les pieds solidement ancrés sur les pédales de la moto, et d'une secousse unique et formidable, je propulse le godemiché jusqu'au fond de son anus. Le motard hurle comme une bête, il se tord de douleur. Pendant quelques secondes, il tente d'échapper à mon emprise, mais je ne lui laisse pas cette chance. Mon pieu le cloue fermement au siège de sa moto. Je vais et je viens entre ses fesses et sa souffrance initiale se change progressivement en plaisir. Bientôt, il se met à suivre le mouvement et il pousse vers l'arrière pour que je m'enfonce plus profondément en lui. En réalité, c'est Louise qui est à l'autre bout du godemiché et qui réagit à mes coups de butoir. Elle sait aussi à quoi je pense et elle me caresse le clitoris de ses doigts. Quand elle sait que j'approche de l'apothéose finale, elle se met à crier: «Oui, prends-moi, fais-moi mal!» Et nous nous rejoignons dans un orgasme sismique à défoncer l'échelle Richter...»

(Diane S.:) «...en général, ma vie sexuelle est pleinement satisfaisante. J'ai 24 ans et je suis célibataire, mais j'ai eu au moins deux fréquentations sérieuses qui ont duré plus d'un an. Même si j'ai des relations sexuelles assez librement avec les hommes qui m'intéressent, je ne suis pas du tout le genre de fille facile, du type *wild and crazy*. Je suis prudente, car j'ai la hantise des MTS. Aussi, j'essaie d'éviter les «quéquettes à tête chercheuse». Je n'ai pas de blocage en ce qui concerne la sexualité et j'arrive assez facilement à trouver mon plaisir quand je fais l'amour avec un homme. Pourtant, il m'arrive à l'occasion d'avoir des visions tout à fait bizarres. Je sais que tout le monde a des fantasmes, mais pour en avoir parlé à des gens qui s'y connaissent en la matière, je sais que les miens sont d'un genre très inusité. C'est un peu difficile à expliquer, mais disons que c'est comme si j'étais un homme et une femme à la fois. Ça me prend surtout quand je suis par-dessus mon partenaire et que c'est moi qui le chevauche. Alors, j'ai l'impression que j'ai un pénis et que je suis en train de faire l'amour à une femme. Je me comporte alors exactement comme si j'étais un mâle. Je dis les mêmes phrases que j'ai entendues dans la bouche de mes partenaires, genre: «Je vais te faire jouir... tu es à moi, tu m'appartiens... dis-moi que tu en veux encore... etc.» Si je vois que mon partenaire aime ça, je peux devenir très agressive et le frapper, le mordre, le griffer. Je suis concentrée sur mon plaisir et ça me donne un orgasme d'une incroyable intensité. Et quand je jouis, je vous jure que j'ai l'impression d'éjaculer dans mon partenaire. Après ça, je deviens molle comme une guenille, je suis vidée de toute mon énergie. Je ne sais pas ce que je donnerais pour pouvoir me transformer en homme pour vrai, ne serait-ce qu'une fois, histoire de vérifier si c'est bien comme ça que ça se passe. Ceci dit, je suis très bien dans ma peau de femme et mes orgasmes féminins, qui sont beaucoup plus nombreux, me comblent entièrement...»

Il faut avoir une imagination fertile pour être capable de se projeter dans la peau d'un homme et ressentir un orgasme au masculin. Mais que dire d'Amélie R., pour qui le nirvana n'est rien d'autre qu'une grande communion à l'univers. Voici son fantasme peu banal:

(Amélie R.:) «...je vais vous raconter un truc que je n'ai encore jamais confié à personne. Je suis née en plein baby-boom, au début des années cinquante. Je faisais partie de la génération *peace and love*, j'ai connu la vie en commune, j'ai essayé toutes les drogues hallucinogènes qui étaient à la mode durant les années soixante. Une fois, j'ai fait l'amour alors que j'étais sur l'acide et j'ai eu l'hallucination la plus totale, cosmique et universelle de ma vie. Et croyez-moi, j'en ai vu de toutes les couleurs. Cette fois donc, je baisais avec un copain (il avait pris la même chose que moi). Nous étions dans une clairière, au milieu d'une forêt, sous la pleine lune. À un moment donné, j'ai senti que je devenais moi-même la terre. J'étais le sol fertile qu'on laboure au printemps et qu'on ensemence ensuite. Et justement, mon copain était le fermier plantant sa graine. Je ne saurais dire combien de temps cette hallucination a duré. Peut-être quelques secondes à peine, peut-être aussi de longues minutes. C'était une sensation magique, surnaturelle. Je communiais avec la planète. Lorsqu'il a éjaculé, c'était comme une averse de pluie qui infiltre la terre, remplit les rigoles et fait gonfler les ruisseaux. Après que ce fut terminé, je suis restée étendue là pendant une éternité. Je ne voulais plus me relever. J'ai refait l'amour sur l'acide à plusieurs reprises par la suite, et j'ai eu les hallucinations les plus étranges, mais je n'ai pas été capable de revivre cette expérience. Puis quelques années plus tard, alors que j'avais complètement cessé de consommer de la drogue, cette vision m'est revenue au moment où je ne m'y attendais plus. Depuis ce jour, ça me revient en moyenne une fois par année. Je n'ai aucune idée de ce qui peut faire déclencher ce fantasme. Si je le savais, je m'arrangerais pour l'avoir à tout coup. C'est la sensation la plus envahissante qu'on puisse imaginer...»

Pour terminer, je vous propose le fantasme d'une femme qui, elle aussi, a l'imagination débridée. J'ai choisi ce fantasme, parce qu'il est un des plus bizarres et, en même temps, des plus amusants qui m'aient été racontés. Si je l'ai gardé pour la fin, c'est parce qu'il se déroule dans la vie après la vie, dans un endroit que nous avons parfois de la difficulté à nous représenter. Et parce que le message à retenir du témoignage de Marilyn C., c'est que la sexualité, c'est tout, sauf l'enfer.

(Marilyn C.:) «...si vous avez reçu, comme moi, une éducation religieuse, vous avez sûrement déjà essayé de vous représenter le paradis. Tout le monde a sa petite idée là-dessus, mais je pense que la mienne est la plus intéressante de toutes. Dans mon paradis à moi, les saints ne se contentent pas d'être assis avec les anges et les archanges et de contempler Dieu pour l'éternité. Non. Tant qu'à être là pour l'éternité, dans le bonheur et la félicité, aussi bien s'adonner à l'activité la plus amusante de toutes: l'amour. Dans ma vision du paradis, tout le monde passe son temps à baiser. D'ailleurs, tous ceux qui sont là baisent comme des dieux! C'est la règle: quand on arrive au ciel, on laisse ses bibittes sexuelles au vestiaire. N'est-ce pas que ce serait formidable si ça se passait comme ça? Nous ne connaîtrions ni la fatigue, ni l'ennui, ni l'incompatibilité sexuelle, ni les MTS... Le bonheur total, quoi!...»

Conclusion

Les fantasmes sont nos amis

S'il fallait résumer en une seule phrase ce que les sexologues ont découvert à force d'étudier le phénomène des fantasmes sexuels, on devrait dire: «les fantasmes sont nos amis».

Ces inventions de notre imagination jouent plusieurs rôles essentiels au maintien de notre équilibre psychologique. D'abord, ils permettent d'ajouter un peu de piquant à la vie de tous les jours et ce, à très peu de frais. D'ailleurs, une étude a démontré que certaines personnes réagissent plus vivement à leurs fantasmes qu'à des stimuli érotiques externes. On pense ici aux couples qui partagent leur vie sexuelle depuis de nombreuses années et qui peuvent, grâce aux fantasmes, rehausser et intensifier leur plaisir sexuel. Ils peuvent s'imaginer des amants ou des maîtresses passionnés, des situations abracadabrantes et quoi encore.

Pour d'autres, les fantasmes sont une échappatoire qui leur donne l'occasion de se laisser aller en pensée à des comportements inadmissibles ou non souhaitables dans la vie réelle. Cela est particulièrement vrai en cette décennie marquée par la prolifération des MTS et la menace omniprésente du SIDA. En effet, il n'est pas très sécuritaire pour une femme qui rêve de faire l'amour avec plusieurs amants simultanément de mettre en œuvre ses envies secrètes.

Enfin, pour les femmes qui n'arrivent pas à s'exprimer sexuellement sans une certaine culpabilité, les fantasmes permettent justement de les libérer de la responsabilité de leur excitation sexuelle.

Nous avons vu tout au long de cet ouvrage la diversité de formes que peuvent prendre les fantasmes. De la même façon qu'il n'existe pas deux personnalités identiques, on peut en dire autant pour les fantasmes. En règle générale, les femmes ont tendance à «sentimentaliser» la sexualité dans leurs fantasmes. Elles font une place importante à la tendresse et au romantisme. Elles sont aussi portées vers un certain narcissisme, inventant des scénarios où elles sont admirées, désirées, convoitées. Elles sont attirées plus que les hommes par des fantasmes à contenu homosexuel ou masochiste.

Quelle que soit la forme que prend un fantasme, il a son utilité du moment qu'il est source d'excitation et de stimulation sexuelle. On ne doit jamais avoir honte de ses fantasmes érotiques, même des plus extravagants. Au contraire, il faut les voir comme des outils indispensables pour construire et entretenir une vie sexuelle pleinement épanouie.

Toujours disponibles
chez votre libraire

ÉDIMAG inc.

Biographie
ROBI, ALYS, Un long cri dans la nuit (ISBN: 2-921207-34-6)......19,95$

Ésotérisme
BISSONNETTE, DANIELLE, Graphologie et connaissance de soi
(ISBN: 2-921207-14-1) ....14,95$
LAVOIE, FLEUR D'ANGE, Le tarot rendu facile
(ISBN: 2-921207-32-X) ....14,95$
LELUS, ÉLIE, Vivez mieux en connaissant vos vies antérieures
(ISBN: 2-921207-87-7) ....12,95$
RICHARD, PIERRE, Les prophéties de Nostradamus
(ISBN: 2-921207-43-5) ....5,95$

Humour
BLANCHARD, CLAUDE, Les meilleures histoires drôles
(ISBN: 2-921207-08-7) ....7,95$
TURBIDE, SERGE , Et voici Jean-Pierre
(ISBN: 2-921207-81-8) ....12,95$

Philatélie
BIERMANS, STANLEY M. , Les plus grands collectionneurs de timbres
au monde (ISBN: 2-921207-77-X)..26,95$

Relation d'aide
POWELL, TAG & JUDITH, La méthode Silva – La maîtrise de la pensée
(ISBN: 2-921207-82-6) ....19,95$
VIGEANT, YOLANDE, Espoir pour les mal-aimés
(ISBN: 2-921207-11-7) ....19,95$

Santé
BOISVERT, MICHÈLE, Comment se soulager de l'arthrose
(ISBN: 2-921207-85-0) ....8,95$

BOISVERT, MICHÈLE, Comment se soulager des maux de tête et des migraines (ISBN: 2-921207-91-5).....................................8,95$

BOISVERT, MICHÈLE, La santé, c'est votre affaire –
Le guide de l'Homéopathie (ISBN: 2-921207-45-1)..................19,95$

BOISVERT, MICHÈLE, Libérez-vous de vos allergies
(ISBN: 2-921207-78-8) ....8,95$

BOISVERT, MICHÈLE, Retrouvez votre forme avec les oligo-éléments
(ISBN: 2-921207-84)..8,95$

CHALIFOUX, ANNE-MARIE, Mon guide santé
(ISBN: 2-921207-02-8) ....14,95$

COUSINEAU, SUZANNE, Espoir pour les hypoglycémiques
(ISBN: 2-921207-44-3) ....17,95$

LEFRANÇOIS, JULIE, La technique respiratoire
(ISBN: 2-921207-18-4) ....15,95$

OUELLETTE, ROSE, Comment bien vieillir
(ISBN: 2-921207-17-6) ....11,95$

PROULX-SAMMUT, LUCETTE, La ménopause mieux comprise,
mieux vécue (ISBN: 2-921207-76-1) ....23,95$

PROULX-SAMMUT, LUCETTE, Son andropause mieux comprise,
mieux vécue (ISBN: 2-921207-86-9) ....13,95$

Sexualité

BOUCHARD, CLAIRE, Comment devenir et rester une femme épanouie
sexuellement (ISBN: 2-921207-01-X) ....16,95$

BOUCHARD, CLAIRE, L'orgasme, de la compréhension à la satisfaction
(ISBN: 2-921207-09-5) ....16,95$

BOUCHARD, CLAIRE, Tests pour amoureux
(ISBN: 2-921207-10-9) ....22,95$

BOUCHARD, CLAIRE, Le point G (ISBN: 2-921207-23-0)...........5,95$

BOUCHARD, CLAIRE, La jouissance féminine
(ISBN: 2-921207-80-X) ....14,95$

De ANGELIS, BARBARA, Les secrets sur les hommes que toute femme
devrait savoir (ISBN: 2-921207-79-6)..23,95$

NADEAU, PIERRE, Moments tendres et sensuels
(ISBN: 2-921207-69-9) ....4,95$

WESTHEIMER, RUTH Dr, Mon guide de la sexualité
(ISBN: 2-921207-75-3) ....23,77$

Sports
GAUDREAU, FRANÇOIS, 100 conseils pour bâtir une collection
de cartes (ISBN: 2-921207-60-5) ....5,95$

LES ÉDITIONS DU PERROQUET

Amour
52 façons de dire «Je t'aime»   (ISBN: 2-921487-02-0).....................17,95$

Ésotérisme
HALEY, LOUISE, Astrologie, sexualité, sensualité, sentimentalité
(ISBN: 2-921487-10-1) ....16,95$
HALEY, LOUISE, Comprendre les rêves et leurs pouvoirs
(ISBN: 2-921487-03-9) ....19,95$
SCALABRINI-VIGER, LOUISE, Utiliser le pouvoir des pierres
(ISBN: 2-921487-07-1) ....17,95$

Santé
DAIGNAULT, DANIEL, Comment vous protéger du soleil
(ISBN: 2-921487-04-7) ....5,95$